Gott lädt uns alle ein

Frank Reintgen
Christine Willers-Vellguth
Klaus Vellguth

Der Erstkommunionkurs.

Hinführung zur Beichte

HERDER
FREIBURG · BASEL · WIEN

www.herder.de

Trotz intensiven Bemühens konnten für einige Texte die Quellenangaben nicht ausfindig gemacht werden. Manchmal liegt auch der Ursprung einer Idee im Dunkeln. Für Hinweise sind Herausgeber und Verlag dankbar.

Umschlagmotiv und Bild S. 7: Sieger Köder
© für den Erstkommunionkurs „Gott lädt uns alle ein“: Verlag Herder GmbH, Freiburg im Breisgau

Illustrationen: Michael Ryba, Lenzkirch

Fotos: S. 19, 38, 39, 43, 49: © Fotolia
S. 43: St. Michael in Freiburg-Haslach
(Helmut Lutz), © Berres-Stenzel

Notensatz: N. Veeser, Schallstadt

Gesamtgestaltung:
Berres-Stenzel, Freiburg im Breisgau
www.berres-stenzel.de

Herstellung:
Himmer AG, Augsburg

Gedruckt auf umweltfreundlichem, chlorfrei gebleichtem Papier

Printed in Germany

ISBN 978-3-451-32047-7

Inhalt

Vorwort

Auch wenn du glaubst,
dass es mit dir
immer so weitergeht
wirst du eines Tages merken,
dass es so
nicht weitergeht.

Wenn du dann
nicht mehr weiterkannst
darfst du erleben,
dass Gott
so weit geht,
dass es mit dir weitergeht.

Kinder werden heute meist im Rahmen der Erstkommunion-Katechese auf das Sakrament der Buße und Versöhnung vorbereitet. Dabei knüpft dieses Sakrament an einer kindlichen Erfahrung an. In ihrem Alltag erleben Kinder immer wieder, dass sie auch Fehler machen. Entwicklungspsychologisch reift dabei bereits im Kindesalter die Fähigkeit, selbst zwischen dem zu unterscheiden, was gut und schlecht ist. Umso wichtiger ist es, dass Kinder ihre Fehler nicht als unabänderliches Schicksal erleben, sondern sie stets unter zwei wohltuenden Vorzeichen sehen: Zum einen unter der Gewissheit, dass sie trotz aller Fehler von Gott und anderen Menschen jederzeit angenommen sind. Und zum anderen unter dem Vorzeichen der Chance, dass sie aus Fehlern lernen dürfen, um künftig einfach besser zu leben.

Das Wort „Buße" stammt ursprünglich aus dem Altgermanischen und lässt sich auf den Begriff „buoze" zurückführen. Gemeint ist damit „besser" oder „Besserung". Zu einem besseren Leben lädt dieser Bußkurs ein. Dabei wird bewusst der Begriff der Versöhnung immer wieder aufgegriffen, der im biblischen Gleichnis vom barmherzigen Vater eine zentrale Bedeutung besitzt. Unabhängig von ihren Lebenssituationen bietet Gott den Menschen immer wieder die Versöhnung an und kommt ihnen auf dem Weg der Umkehr entgegen.

Die neun einzelnen Wegstrecken, die im Rahmen dieses Bußkurses als katechetische Einheiten zur Auswahl angeboten werden, orientieren sich an der Struktur des Erstkommunionkurses „Gott lädt uns alle ein". Methodisch-didaktisch lassen sie sich je nach Situation vor Ort miteinander kombinieren. Didaktisch ist jedes Kapitel dabei in drei Schritte unterteilt:

Leben spüren: Inhaltlich führt der Bußkurs die Kinder in seinen drei individuellen Wegstrecken „Leben spüren" an die Thematik „Fehler", „Schuld" und „Sünde" heran, stärkt sie in ihrer kritischen Selbstwahrnehmung und ermöglicht ihnen, Fehler als Teil der menschlichen Existenz anzunehmen.

Bibel teilen: Das von Sieger Köder für diesen Kurs zur Verfügung gestellte Werk, das als Poster beiliegt, stellt einen Bezug zum biblischen Gleichnis des barmherzigen Vaters her. Die drei dazu entworfenen Katechesen bringen den Kindern die biblische Überlieferung nahe und helfen ihnen, einen persönlichen Bezug zum biblischen Versöhnungsgleichnis zu gewinnen.

Glauben feiern: Darüber hinaus werden Wegstrecken angeboten, die Kinder an die Feier des Bußsakraments heranführen und es den Kindern so ermöglichen, mit dem Ablauf des sakramentalen Geschehens vertraut zu werden.

Diese didaktische Strukturierung ermöglicht es den Katechetinnen, selbst Schwerpunkte zu setzen: Entweder auf der Erfahrungsebene der Kinder („Leben spüren"), auf der Sachebene („Bibel teilen") oder bei der Heranführung an die Liturgie („Glauben feiern"). Zu jedem dieser didaktisch miteinander verzahnten Themenfelder wird methodisch differenzierend jeweils eine meditative, eine handlungsorientierte und eine kreative Wegstrecke angeboten. Damit ergeben sich insgesamt neun Wegstrecken, die in folgendem methodisch-didaktischen Grundraster angeordnet sind:

Leben	*meditativ*
	handlungsorientiert
	kreativ
Bibel	*meditativ*
	handlungsorientiert
	kreativ
Feiern	*meditativ*
	handlungsorientiert
	kreativ

Zu Beginn jeder katechetischen Wegstrecke wird wie beim Erstkommunionkurs „Gott lädt uns alle ein" anhand dieses methodisch-didaktischen Rasters gezeigt, welchen Charakter die jeweilige Wegstrecke besitzt. So kann jede Katechetin sich je nach pastoraler Situation vor Ort und je nach eigener Konzeption der Bußvorbereitung einen Kurs zusammenstellen und dabei selbst mit Blick auf „ihre Kinder" die methodisch und didaktisch angemessenen Schwerpunkte setzen.

Ihnen wünschen wir, dass Ihre Kinder während der Vorbereitung auf das Bußsakrament den christlichen Glauben als ein Fest der Versöhnung erleben dürfen.

Christine Willers-Vellguth
Frank Reintgen
Klaus Vellguth

P.S. Da fast ausnahmslos Frauen die Aufgabe übernehmen, Kinder auf das Sakrament der Versöhnung vorzubereiten, wird in diesem Kurs stets von „Katechetinnen" gesprochen. Wir bitten vor allem die (wenigen) männlichen Katecheten um Verständnis für diesen Kompromiss, mit dem wir die mitunter sperrigen Formulierungen einer „inklusiven Sprache" vermeiden möchten.

Auswahl der Bausteine

Inhaltliche Akzente:
Drei unterschiedliche inhaltliche Akzente setzen die in diesem Kurs vorgestellten Bausteine. Während die ersten drei Bausteine „Leben spüren" erfahrungsbezogen bei den Kindern ansetzen, bahnen die drei folgenden Bausteine „Bibel teilen" den Kindern (mit Hilfe des Motivs von Sieger Köder) einen Zugang zur biblischen Überlieferung. Die drei Bausteine „Glauben feiern" bereiten die Kinder unmittelbar auf die Liturgie der Sakramentenfeier vor.

Methodische Differenzierung:
Zu jedem der drei inhaltlichen Akzente (Leben spüren – Bibel teilen – Glauben feiern) bietet der Kurs wiederum drei methodisch unterschiedliche Herangehensweisen an. Skizziert sind jeweils ein meditativ, ein handlungsorientiert sowie ein kreativ geprägter Baustein. Hier sind letztlich die Katechetinnen als „Expertinnen für ihre Kindergruppe" gefragt: Die Katechetinnen entscheiden selbst (evtl. in Abstimmung mit den anderen Katechetinnen bzw. mit Begleitung aus dem Pastoralteam), welcher der drei vorgeschlagenen methodischen Entwürfe ihnen und ihren Kindern den besten Zugang ermöglicht.

Eigenes Kursmodell:
Dadurch, dass die Katechetinnen selbst aus den hier vorgestellten Bausteinen auswählen, entsteht ihr eigenes Kursmodell, mit dem sie den Kindern im Rahmen der Vorbereitung auf die Sakramente der Buße und Erstkommunion sagen:

Gott lädt uns alle ein.

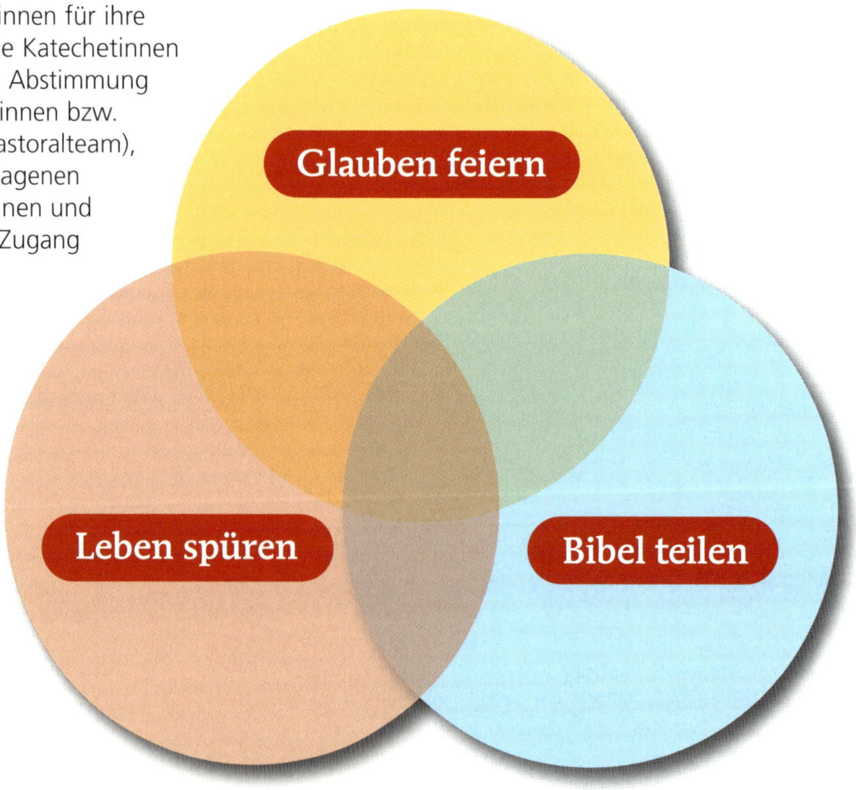

SK

Ich – Du – Wir

Materialien
- großes, rundes Tuch
- kleine, runde Pappscheiben
- Bänder (Stoff, Filz oder Krepp) für jedes Kind, jeweils ca. 80 cm lang
- Gruppenkerze
- kleine Zettel
- Arbeitsblatt: „Mein Beziehungsrad"
- Blätter zum Malen für jedes Kind
- Farben
- Liedblätter: „Wo zwei oder drei", „Herr, erbarme dich unserer Zeit"
- CD-Player
- Meditationsmusik

Methoden
- Gespräch
- Gestaltung mit Legematerialien
- Singen
- Bildnerisches Gestalten

Ziele/Chancen
- Die Kinder werden sich bewusst, dass in einer Gemeinschaft Menschen voneinander abhängig sind.
- Sie reflektieren, dass ihr Handeln Auswirkungen auf ihre Mitmenschen und das Zusammenleben der Menschen hat.
- Die Kinder tauschen sich über gelungene/misslungene Möglichkeiten aus, wie Menschen miteinander in Kontakt kommen können.
- Die Kinder erinnern sich an Situationen, in denen menschliches Zusammenleben in ihrem Umfeld missglückt ist.

Hinweise
- Diese Einheit setzt voraus, dass die Mitglieder der Gruppe einander vertraut sind, da auch Dinge zur Sprache gebracht werden sollen, die den Kindern nicht gelungen sind.

Inhaltliche Einordnung
- Die Beziehung zwischen Menschen und die Beziehung zu Gott sind nicht getrennt zu denken, sondern wie zwei geflochtene Bänder miteinander verbunden.
- Schuld entsteht da, wo wir uns selber, anderen oder Gott etwas schuldig bleiben. Das setzt voraus, dass wir uns als Handelnde mit mehreren Handlungsmöglichkeiten erleben.
- Die Versöhnungsbereitschaft Gottes ist anders als bei uns Menschen unbegrenzt. Sein Angebot der Liebe gilt allen Menschen uneingeschränkt und immer.

Ablauf der Einheit

Begrüßungsritual

Ich, du, wir – sind wie ein Rad

Ein großes, rundes Tuch wird auf einem Tisch oder auf dem Boden in die Mitte gelegt. Alle beschriften eine Pappscheibe mit ihrem Namen. Nacheinander werden diese Kreise um das Tuch herumgelegt.

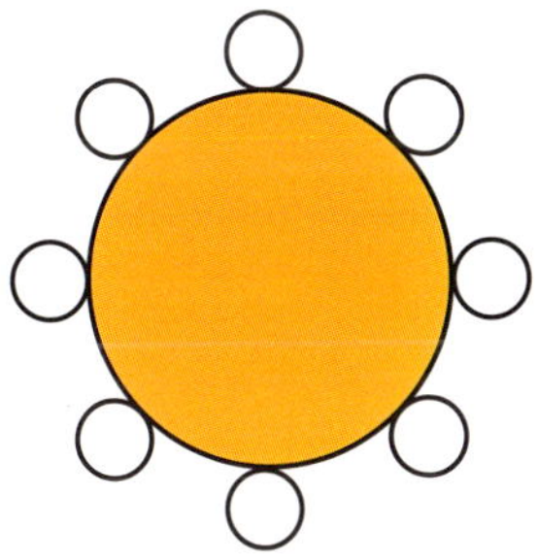

Jeder erhält anschließend ein Band, das er von der Mitte aus zu seinem Namenskreis legt.

Alle Namenskreise sind nun miteinander verbunden.
Gemeinsam überlegen die Kinder, was uns Menschen verbindet:

- miteinander sprechen,
- reden,
- gemeinsam etwas tun,
- aufeinander hören,
- ...

Diese Begriffe werden auf kleine Zettel geschrieben, die über die Bänder gelegt werden.

Die Katechetin bemerkt, dass das Bild einem Rad gleicht. Es hat eine Nabe in der Mitte, die alle Speichen zusammenhält. Und es hat Speichen, die aus der Mitte zu jedem Gruppenmitglied hinführen. Das Bild erinnert an den Ausspruch von Jesus (Mt 18.20):

Jesus sagt: Wo zwei oder drei in meinem Namen versammelt sind, da bin ich mitten unter ihnen.

Als Zeichen von Jesu Gegenwart wird die Gruppenkerze in die Mitte gestellt und entzündet.

Dazu wird das folgende Lied gesungen.

Wo zwei oder drei

Lied siehe Seite 51 in: Gott lädt uns alle ein, Der Erstkommunionkurs, Kursbuch für die Katechetinnen und Katecheten

Das zerbrochene Rad

Die Katechetin nimmt nun ein Band (eine Speiche) weg und fordert die Kinder auf, zu überlegen, was mit dem Rad geschieht:

- Das Rad verliert an Stabilität.
- Das Rad beginnt zu eiern.
- Es sind nicht mehr alle miteinander in Kontakt.
- Es läuft nicht rund.
- Ein Namenkreis ist jetzt alleine.
- ...

Die Katechetin erarbeitet in einem Gespräch mit den Kindern, dass es so ähnlich ist, wenn Menschen keine Verbindung mehr zu ihren Mitmenschen oder zu Gott haben. Das Rad der Gemeinschaft wird zerstört. Dann läuft es nicht mehr rund.
Mit den Kindern überlegt sie, wie es kommt, dass Verbindungen zwischen Menschen kaputtgehen können (Rücksichtslosigkeit, Egoismus, Missverständnisse, Neid, ...).

Anschließend erläutert die Katechetin, dass eine kaputte Speiche im Rad repariert werden kann. Sie fragt, ob dies bei einer kaputten Beziehung auch möglich ist?

Mein Beziehungsrad

Die Katechetin lädt daraufhin die Kinder ein, über ihre eigenen Verbindungen zu anderen Menschen nachzudenken. Dazu teilt sie das Arbeitsblatt „Mein Beziehungsrad" an die Kinder aus. Die Kinder tragen auf dem Rad ein, zu wem sie eine enge Verbindung haben. Anschließend stellen sich die Kinder gegenseitig ihr Beziehungsrad vor.

Dann überlegen sie, ob und wann in der letzten Zeit eine dieser Verbindungen gestört war oder abzubrechen drohte. Jedes Kind soll eine Situation aufmalen. Dazu wird ruhige Musik vom CD-Player eingespielt.
Im Kreis stellen die Kinder ihre Bilder vor. Gemeinsam überlegen sie, wie man die geschilderten Situationen „reparieren" kann. Dann wird der folgende Liedruf gesungen:

Herr, erbarme dich unserer Zeit

Lied siehe Seite 11

Wir bitten und danken

Guter Gott,
es ist schön, dass es andere Menschen gibt,
mit denen wir spielen und Spaß haben können.
Ohne die Verbindung und den Kontakt zu anderen Menschen
wäre unser Leben nur halb so schön.
Manchmal gibt es aber auch Streit
und wir verlieren den Kontakt zueinander.
Das macht unser Herz schwer.
Vergib uns, wenn wir anderen etwas schuldig geblieben sind.
Und halte unsere Herzen wach,
dass auch wir immer wieder bereit sind, anderen zu vergeben.
Segne uns, dass wir mit dir
und unseren Mitmenschen in guter Verbindung bleiben.
Amen.

Mein Beziehungsrad

Schreibe in den kleinen Kreis deinen Namen. Überlege dann, mit wem du dich eng verbunden fühlst (Familie, Freunde...). Schreibe diese Namen in den Rand des Rades und ziehe von der Mitte zu ihnen einen Strich. So entsteht dein Beziehungsrad.

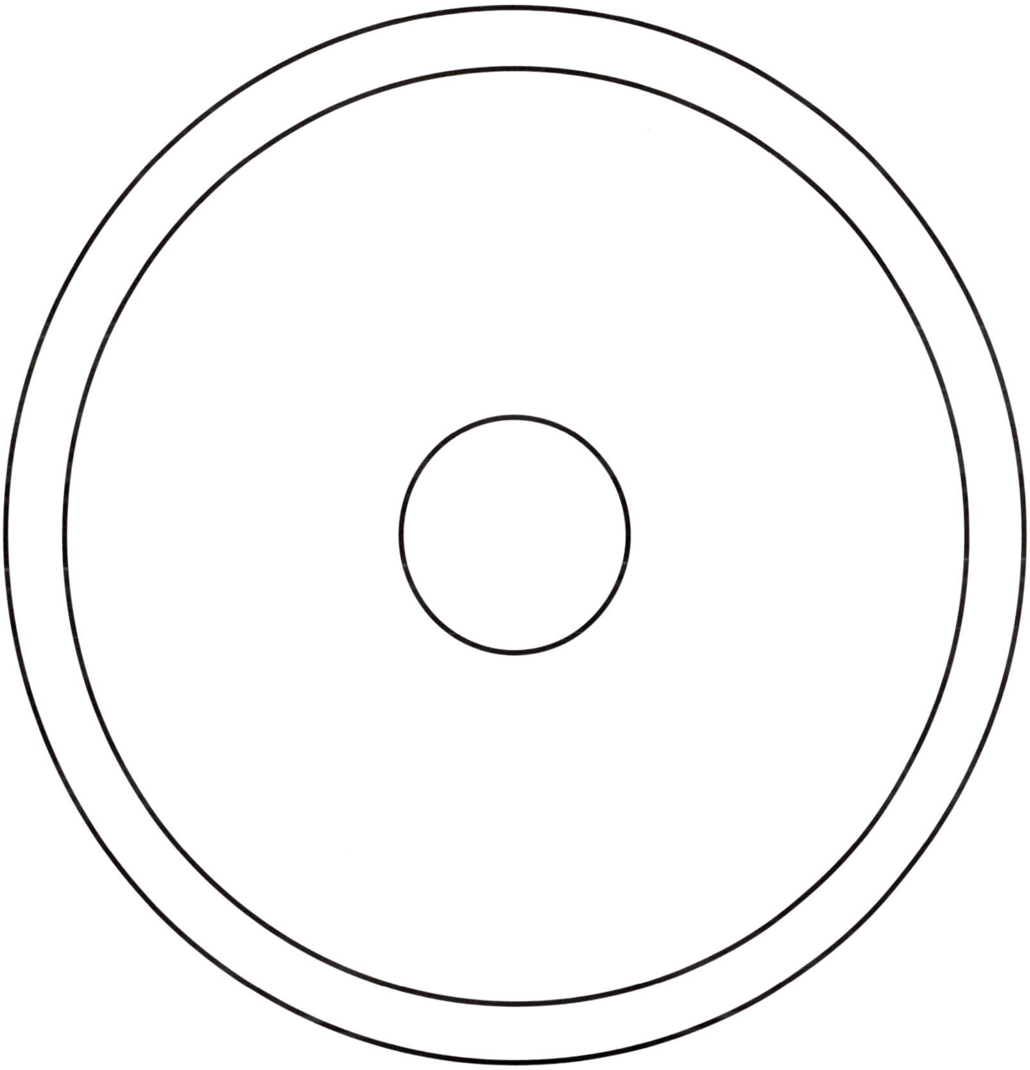

Herr, erbarme dich unserer Zeit

T/M: Peter Janssens, aus: Entfesselt das Wort, 1968 © Peter Janssens Musik Verlag, Telgte Westfalen

Ich habe zwei Seiten

Materialien
- ein Spiegel, der in einer Schachtel verborgen ist (Schmuckkästchen, Schatzkiste, verzierter Schuhkarton o. Ä.)
- Zettel
- Plakat mit einer Figur, die auf der einen Seite hell, auf der anderen Seite dunkel ist
- Arbeitsblatt: „Das bin ich"
- eine gelbe Pappfigur
- mehrere weiße Pappfiguren
- mehrere Pappfiguren, die auf der einen Seite weiß, auf der anderen Seite schwarz sind

Methoden
- Gespräch
- Spiel
- Schreiben
- Erzählung mit Legematerialien

Ziele/Chancen
- Den Kindern wird vermittelt, dass jeder von ihnen einmalig ist. Für jeden Menschen gibt es eine Beschreibung, die nur zu ihm passt.
- Die Kinder nehmen wahr, dass die Einmaligkeit jeden Menschen kostbar und wertvoll macht.
- Die Kinder entdecken, dass alle Menschen Stärken und Schwächen haben.

Hinweise
- Diese Einheit ist inhaltlich sehr kompakt gestaltet. Die Katechetin sollte entscheiden, ob sie den Schritt „Jesus und der Zöllner Matthäus" durchführen oder weglassen möchte.

Inhaltliche Einordnung
- Wir Menschen sind von Gott als sein Ebenbild geschaffen. Das verleiht uns Menschen eine unveräußerliche Würde. In anderen Menschen begegnet uns Gott.
- Aus dem Zuspruch Gottes an uns Menschen, dass er uns liebt und so annimmt, wie wir sind, erwächst der Anspruch, selbst ein Liebender zu sein/werden.
- Jesus hat sich besonders den Menschen zugewandt, die von anderen Menschen ausgegrenzt wurden. Er macht in seinem Tun deutlich, dass Gott jeden Menschen uneingeschränkt liebt und annimmt – ganz gleich welche (Vor-) Geschichte er auch hat.

Ablauf der Einheit

Begrüßungsritual

Der Blick in den Spiegel

In einer Schachtel ist ein Spiegel versteckt. Die Katechetin erklärt den Kindern, was sie in der Kiste sehen können:

- Es ist sehr kostbar,
- es gibt es nur einmal auf der Welt,
- es ist unbezahlbar.

Die Kinder stellen Vermutungen an, was in der Kiste enthalten sein könnte. Anschließend darf jedes Kind für sich allein in die Kiste schauen. Wer in die Kiste geschaut hat, soll den anderen noch nichts verraten, sondern darüber nachdenken, was er gesehen hat.
Anschließend tauschen die Kinder ihre Gedanken über das aus, was sie gesehen und erlebt haben. Im Gespräch lenkt die Katechetin die Aussagen der Kinder auf die Frage, was einen Menschen so kostbar macht. Mit den Kindern bespricht sie, dass jeder Mensch ein Unikat und unverwechselbar ist. Jeder ist etwas Einmaliges und Besonderes. Das wird im folgenden Schritt spielerisch erarbeitet.

Who is who?

Die Katechetin schreibt nun die Namen aller Kinder jeweils auf ein Blatt Papier. Jedes Kind zieht dann einen Namen. Anschließend beschreibt jedes Kind das Kind, dessen Namen es gezogen hat. Dabei darf es nicht den Namen des Kindes nennen, sondern muss das Kind mit Hilfe seiner Eigenschaften, seines Aussehens usw. beschreiben. Alternativ dazu kann die Gruppe versuchen, ein Kind der Gruppe so lange zu beschreiben, dass diese Beschreibung wirklich nur noch auf dieses Kind passt:

- Jan ist ein Junge (alle Mädchen fallen weg).
- Er spielt gerne Fußball (ein Junge fällt weg).
- Er hat blonde Haare (trifft auch auf zwei andere Jungen zu).
- Er hat zwei Schwestern (gewonnen, denn das trifft auf die anderen nicht zu).

So findet man zu jedem Kind etwas, das es von allen anderen unterscheidet.

Wir haben zwei Seiten

Die Katechetin zeigt den Kindern das Plakat mit der zweigeteilten Figur. Die eine Hälfte der Figur ist weiß, die andere grau. Die Kinder versuchen zu erklären, warum die Figur auf der einen Seite dunkel und auf der anderen Seite hell ist. Mit den Kindern erarbeitet die Katechetin, dass alle Menschen eine helle, gute Seite, manchmal aber auch eine dunkle, schlechte Seite haben.
Oft tun wir Dinge, die gut sind. Sie tun mir oder anderen gut. Manchmal tun wir aber auch Dinge, die schlecht sind. Sie tun mir oder anderen weh.
Für jede Seite sammelt die Gruppe Beispiele und schreibt sie auf die Figur in die entsprechenden Hälften.

Das bin ich

Die Katechetin teilt an die Kinder das Arbeitsblatt „Das bin ich" aus. Analog zum eben bearbeiteten Schritt tragen die Kinder in ihre Figuren gute und schlechte Eigenschaften ein, die sie an sich selbst beobachten.
Dabei können folgende Aspekte für die Kinder hilfreich sein:

- Wie verhalte ich mich in der Familie, in der Schule, bei meinen Freunden, in der Nachbarschaft, im Sportverein, …
- Wie ist mein Verhalten in diesen verschiedenen Gruppen?
- Wie ist mein Verhalten in verschiedenen Situationen?

Im anschließenden Gespräch soll deutlich werden, dass kein Mensch perfekt ist. Jeder hat gute und schlechte Seiten. Gutes und Böses – beides gehört zu uns Menschen. Oft belasten uns und andere Menschen jedoch unsere schlechten Eigenschaften.
Mit den Kindern überlegt die Katechetin, was uns helfen kann, mit den eigenen „schlechten" Eigenschaften umzugehen.
Die Kinder tauschen sich darüber aus, wie sie sich fühlen, wenn sie etwas getan haben, was schlecht (böse, falsch) war. Sie besprechen, was ihnen hilft, dass es ihnen wieder besser geht.

Jesus und der Zöllner Matthäus (Mt 9,9–13)

Die Katechetin erzählt die biblische Geschichte und legt dazu die entsprechenden Figuren in die Mitte.

Erzählung	Anschauung
Jesus ist mit seinen Freunden unterwegs. Viel haben sie schon gemeinsam erlebt. Alle wollen ganz nah bei Jesus sein. Alle wollen mit ihm in Verbindung stehen.	*Eine gelbe Figur wird als Jesus, einige weiße Figuren werden als Freunde gelegt.* 
Da sehen sie jemanden am Wege stehen: Einen Zöllner. Einer, der Steuern eintreibt. Einer, der mehr Geld einsteckt als er darf. Einer, mit dem keiner etwas zu tun haben will. Einer, der außen vor steht. Einer, der von allen verachtet wird. Einer, der ganz alleine ist.	*Eine weitere Figur wird mit der dunklen Seite nach oben in einiger Entfernung von der Gruppe hingelegt.* 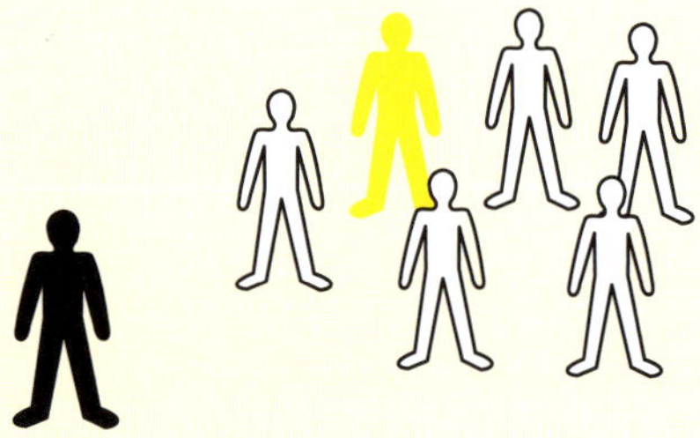
Jesus geht auf den Zöllner zu. Er nimmt Kontakt mit ihm auf. Er geht in sein Haus. Er setzt sich sogar an einen Tisch mit ihm. Sie essen zusammen.	*Die Katechetin legt die Jesus-Figur zu der Zöllner-Figur.* 

Und noch viele kommen dazu. Viele Zöllner und Sünder sitzen zusammen und freuen sich, dass Jesus bei ihnen ist.	*Die Katechetin legt weitere Figuren mit der dunklen Seite nach oben zur Jesus- und der Zöllner-Figur.* 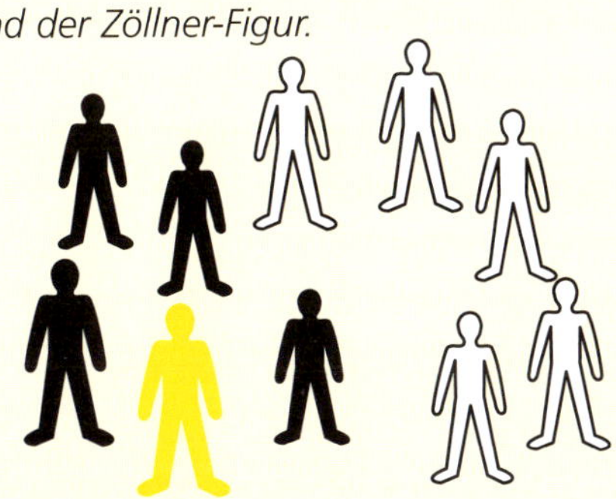
Jesus kennt keine Berührungsängste. Er geht auf jeden Menschen zu. Er entdeckt bei jedem Menschen die guten Seiten. Er lässt die Menschen spüren, dass Gott sie liebt.	*Die Katechetin dreht die dunklen Figuren um, so dass die helle Seite zu sehen ist.* 
Er möchte, dass alle Menschen miteinander eine große Gemeinschaft bilden.	*Die Katechetin legt die Figuren zu einem großen Kreis zusammen.* 

Anschließend findet ein gelenktes Gespräch mit den Kindern statt. Dabei können die folgenden Fragen helfen:

- Was hat euch an der Geschichte besonders (bzw. nicht) gut gefallen?
- Kennt ihr Menschen, die auch so allein wie der Zöllner Matthäus sind?
- Habt ihr euch selber schon einmal so alleine erlebt, wie der Zöllner Matthäus in dieser Geschichte?
- Was habt ihr gemacht?
- Was hat euch in der Situation geholfen?

Zum Schluss fasst die Katechetin noch mal zusammen, dass Jesus immer wieder Menschen, die ausgegrenzt wurden, in die Gemeinschaft mit aufgenommen hat. So konnten die Menschen erleben, dass Gott jeden Menschen liebt. Jesus gab auch den Menschen ein Ansehen, die von den anderen nicht beachtet werden.

Ich

Zum Abschluss dieser Einheit teilt die Katechetin den Kindern die Kopie der Figuren mit dem Text „Ich“ aus.

Wir haben zwei Seiten/Das bin ich

Die Figur kann für das Plakat auf DIN A3 vergrößert werden. Gleichzeitig dient sie als Vorlage für die Arbeitsblätter „Das bin ich"

Jesus und der Zöllner Matthäus

Vorlage für die Pappfiguren

Ich

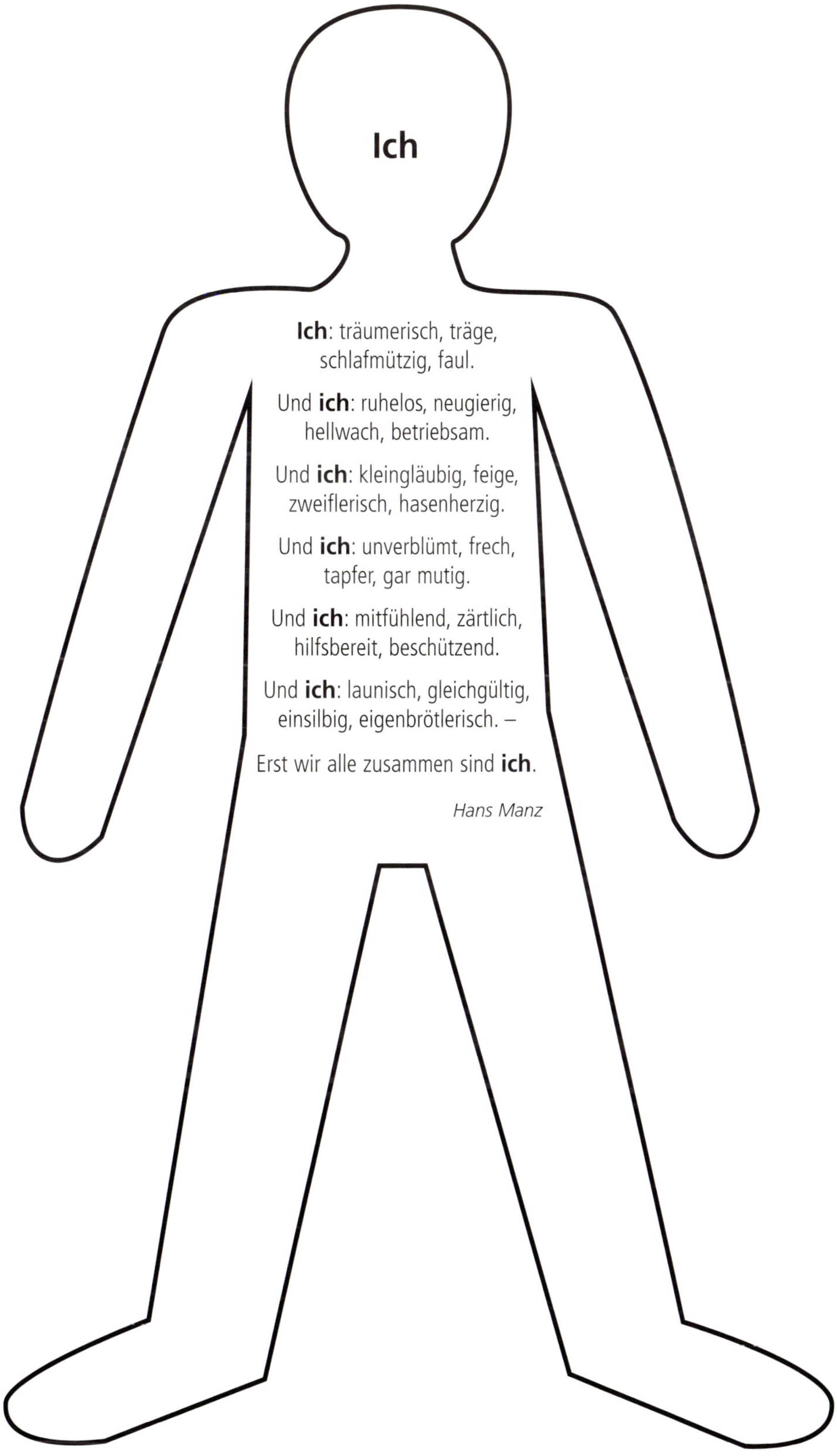

Ich

Ich: träumerisch, träge,
schlafmützig, faul.

Und **ich**: ruhelos, neugierig,
hellwach, betriebsam.

Und **ich**: kleingläubig, feige,
zweiflerisch, hasenherzig.

Und **ich**: unverblümt, frech,
tapfer, gar mutig.

Und **ich**: mitfühlend, zärtlich,
hilfsbereit, beschützend.

Und **ich**: launisch, gleichgültig,
einsilbig, eigenbrötlerisch. –

Erst wir alle zusammen sind **ich**.

Hans Manz

Mein Licht leuchte

Materialien
- Schale mit Wasser
- gefaltete Sonne aus gelbem Tonpapier mit Text
- kleine Sonnen und Wolken aus Tonpapier
- gelbes Tonpapier
- Scheren
- Lied: „Gottes Liebe ist wie die Sonne"

Methoden
- Gestaltung mit Legematerialien
- Gespräch
- Basteln
- Hören einer Geschichte
- Singen

Ziele/Chancen
- Die Kinder lernen das biblische Bild vom „Licht der Welt" als Anspruch an das eigene Leben kennen.
- Das Selbstbewusstsein der Kinder wird gestärkt. Ihnen wird ein positives Selbstbild vermittelt.
- Die Kinder nehmen wahr, dass sie Verantwortung für ihre Umwelt tragen.

Hinweise
- Die gestaltete Sonne, die die Kinder mit nach Hause nehmen, ist ein gute Gelegenheit, die Familien der Kommunionkinder in den (Kommunion- und) Bußkurs mit einzubeziehen.

Inhaltliche Einordnung
- Ausgangspunkt jeder Beicht- und Bußpraxis der Kirche muss immer Gottes Zuspruch sein, dass er alle Menschen liebt, und zwar jeden Einzelnen, unabhängig von seinem Tun. Nichts kann uns trennen von der Liebe Gottes.
- Aus dem Zuspruch Gottes erwächst der Anspruch an uns, Verantwortung für uns, unsere Mitmenschen, die Schöpfung und für unsere Beziehung zu Gott zu übernehmen.
- Aufgrund der Freiheit können Menschen scheitern und sich von Gott abwenden. Umkehr bedeutet die Möglichkeit, sein Leben wieder auf Gott und die Mitmenschen auszurichten.

Ablauf der Einheit

Begrüßungsritual

Ihr seid das Licht der Welt

Eine Schale mit Wasser wird in die Mitte gestellt. Die Katechetin legt die gefaltete Sonne mit dem verdeckten Text auf das Wasser. Die Kinder beobachten, wie sich die Sonne entfaltet. Dann lesen sie den Text in der Mitte (Ihr seid das Licht der Welt! Gott möchte, dass euer Licht leuchte).
Die Kinder denken darüber nach, was der Text auf der Sonne bedeuten könnte. Die Katechetin erläutert, dass der erste Satz („Ihr seid das Licht der Welt") von Jesus stammt. Sie kann darauf hinweisen, dass Jesus nicht gesagt hat „Ihr könntet Licht der Welt sein". Jesus spricht uns zu, „dass wir Licht der Welt sind". Daraus erwächst eine große Verantwortung, achtsam mit unserem Licht umzugehen. Durch unser Handeln können wir Licht in die Welt bringen.

Wann kann ich Licht in die Welt bringen?

Die Kinder überlegen, wann sie Licht in die Welt bringen können. Sie schreiben Beispiele auf die kleinen gelben Sonnen und legen sie in die Mitte.
In einem zweiten Schritt setzt sich die Gruppe damit auseinander, wann sie das Licht verdunkeln. Die Beispiele werden auf die kleinen Wolken geschrieben und über die Sonnen gelegt.
Im Gespräch mit den Kindern stellt die Katechetin heraus, dass auch in der Natur die Sonne nicht immer scheint. Manchmal schieben sich Wolken vor das Licht. So ist es auch mit den Menschen. Niemand ist ohne Fehler. Ein besseres Gefühl haben aber alle, wenn sie gut handeln – im übertragenden Sinne: Es geht allen besser, wenn die Sonne scheint.

Gemeinsam überlegt die Gruppe, wie in den einzelnen Fällen die Sonne wieder scheinen könnte. Dabei werden die Wolken zur Seite gelegt, so dass die Sonnen wieder zu sehen sind.

Meine Sonne

Die Kinder gestalten eine Sonne für ihre Familien. Dazu schneiden sie aus Tonpapier eine Sonne aus und überlegen sich, wie sie selbst zur Helligkeit in ihrer Familie beitragen können. Dies schreiben sie in die Sonne hinein. Die Katechetin ermuntert die Kinder, die Sonne in ihren Familien ebenso aufgehen zu lassen (in einer Schale mit Wasser), wie sie das in der Gruppe gemeinsam praktiziert haben.
Wenn die Kinder ihre Sonnen gebastelt haben, kommen alle in der Mitte zusammen und die folgende Geschichte wird gelesen.

Kerzen

Die Kinder laufen hinter ihrer Gruppenleiterin zur Kirche hinüber.
„Bin gespannt, was sie vorhat, die Eva", sagt Jakob.
„Für das Versöhnungsfest üben", sagt Rudi.
„Meine Mutti hat auch schon mit mir geübt. Auf 17 Fehler sind wir gekommen."
„Der Max hält den Rekord", sagt Katharina. „59 Fehler und 27 Schwächen, aber viele von der gleichen Sorte, natürlich."
Eva dreht sich um, schaut die Kinder an und seufzt. „59 Fehler? Höchste Zeit, dass wir uns darüber unterhalten!"
In der Kirche ist es dämmrig dunkel, nur die Osterkerze brennt. Eva hat kleine Kerzen

mitgebracht, für jedes Kind eine. Die Kinder zünden ihre Kerzen an der großen Osterkerze an und stellen sie auf die Stufe vor dem Altar. Eva setzt sich auf den Teppichboden vor der Stufe. Die Kinder setzen sich zu ihr. Sie sehen den brennenden Kerzen zu – und warten.

„Diese Kerzen da", sagt Eva in die Stille hinein, „was tun die eigentlich?"

„Brennen, kommt mir vor", sagt Rudi. Die Kinder lachen.

„Eine Kerze, die brennt", sagt Eva, „wozu ist die gut?"

„Sie leuchtet", sagt Katharina.

„Sie wärmt auch ein bisschen", sagt Jakob.

„Und eine Kerze, die nicht brennt?", fragt Eva.

„Von der hat man nichts", sagt Anna. „Die leuchtet und wärmt nicht. Man muss sie erst anzünden."

„Nun stellt euch einmal vor, dass wir solche Kerzen sind", sagt Eva. „Wir haben unser Licht von Jesus bekommen, so wie unsere Kerzen ihr Licht von der Osterkerze bekommen haben. Wir machen unsere Umgebung hell. Wir geben den Menschen rund um uns Licht und Wärme, wenn wir freundlich, gut und hilfsbereit sind."

„Leider sind wir das nicht immer", sagt Rudi.

„Wann geben wir kein Licht und keine Wärme mehr?", fragt Eva.

„Wenn wir bös waren", sagt Max.

„Wann waren wir denn ‚bös'?", fragt Eva.

„Na – wenn wir gestritten haben, zum Beispiel", sagt Max.

„Hm", sagt Eva. „Streiten ist manchmal gut und notwendig."

„Ja, aber gestern hab ich mit meinem kleinen Bruder gestritten, weil er das größte Stück Kirschkuchen erwischt hat", sagt Max. „Ich hab ihm sein Stück vermiest. Sind lauter Wurmkirschen, hab ich gesagt. Da hat ihm gegraust, und er wollt's nicht essen und hat's mir gegeben. Das war gemein, nicht?"

„Ja", sagt Eva. Sie beugt sich vor und bläst eine Kerze aus. Max erschrickt. „War das meine Kerze?"

„Das war deine Kerze", sagt Eva.

Eine Weile sitzen sie ganz still, dann sagt Katharina: „Ich hab am Sonntag meinen Vater gekränkt. Er wollte mit mir spazieren gehen, denn allein macht's ihm nicht so viel Spaß. Aber ich habe gesagt: ‚Geh allein, ich lese Comics, das ist lustiger als der blöde Spaziergang…'"

Eva bläst die nächste Kerze aus.

„Es könnte sein, dass ich die Katharina geärgert habe", sagt Jakob. „Ich hab schon gewusst, sie will meine neuen Filzstifte ausprobieren, aber ich hab gewartet, bis sie drum bittet. Ich hab sie fest bitten lassen."

„Oh", sagt Katharina schnell. „Das stimmt, dass ich mich darüber geärgert habe. Aber nicht so arg, dass du jetzt deine Kerze…"

Aber Eva hat die Kerze schon ausgeblasen. Jedes Kind kommt an die Reihe. Jedem Kind fällt ein, was es lieber nicht hätte tun sollen. Manchen fällt auch ein, was es hätte tun müssen. Zuletzt brennt nur noch eine kleine Kerze.

„Fehlt einer, oder hab ich mich verzählt?", fragt Eva.

„Es ist deine Kerze", sagt Jakob. „Jetzt bist du dran!"

Eva denkt nach.

„Vielleicht wisst ihr etwas, womit ich euch gekränkt habe?", fragt sie dann.

„Du hast uns schon einmal versprochen, uns das Buch von den Emmaus-Jüngern mitzubringen", sagt Rudi.

„Aber du hast's jedes Mal vergessen."

„Ui", sagt Eva. „Aber wenn einer von euch was vergisst, werd ich ganz schön grantig! Blast die Kerze aus!" Die Kinder blasen die letzte Kerze aus. Nur noch die Osterkerze brennt.

„Schade", sagt Anna. „Jetzt ist es ziemlich dunkel hier. Und kälter ist es auch."

„Was tun wir jetzt?", fragt Eva.

Die Kinder schweigen.

„Wir brauchen neues Licht für unsere Kerzen", sagt Eva.

„Zum Glück brennt die Osterkerze. Ein Mensch, dem seine Schuld Leid tut, der sie bekennt und um Verzeihung bittet, kann seine Kerze wieder anzünden. Beim Versöhnungsfest bekommen wir von Gott neues Licht – so wie wir jetzt unsere Kerze an der Osterkerze neu anzünden dürfen."

Die Kinder zünden ihre Kerzen an der großen Kerze an und machen eine kleine Lichterprozession durch die Kirche.

„Ich glaube, meine Liste mit den 59 Sünden und 27 Schwächen ist Blödsinn", sagt Max zu Eva. „Ich werde beim Versöhnungsgespräch lieber sagen, was mir leid tut…"

Lene Mayer-Skumanz

Gottes Liebe ist wie die Sonne

T/M: Gerd Fuster 1970, © Verlag Singende Gemeinde, Wuppertal

Refr.:
Gottes Liebe ist wie die Sonne,
sie ist immer und überall da.

1. Streck dich ihr entgegen,
   nimm sie in dich auf.
   Gottes Liebe ist wie die Sonne …

2. Sie kann dich verändern,
   macht das Leben neu.
   Gottes Liebe ist wie die Sonne …

3. Mag auch manche Wolke
   zwischen dir und Gottes Liebe stehn.
   Gottes Liebe ist wie die Sonne …

4. Gib diese Liebe weiter
   auch an den, der dich nicht lieben will.
   Gottes Liebe ist wie die Sonne …

Ihr seid das Licht der Welt/ Meine Sonne

Diese Vorlage kann für die gemeinsame Sonne sowie für die Sonnen der Kinder verwendet werden.
Die Sonne wird aus gelbem Tonpapier ausgeschnitten. In die Mitte wird der Text geschrieben. Dann werden die einzelnen Sonnenstrahlen zur Mitte hin gefaltet und vorsichtig angedrückt. Legt man diese „Sonne“ in Wasser, beginnt sie sich zu öffnen.

Wann kann ich Licht in die Welt bringen?

Vom Tod zum Leben

Materialien
- Poster: Sieger Köder „Der barmherzige Vater"
- Teelichter
- viele (leere) Sprechblasen
- drei Plakate mit den Überschriften: „Was der Vater sagt", „Was der jüngere Sohn sagt", „Was der ältere Sohn sagt"
- Schreibblätter
- Sprechblase „Ich war tot."
- Sprechblase „Ich war verloren."
- Sprechblase „Ich bin wiedergefunden."
- Sprechblase „Ich lebe wieder."
- Titelstreifen: „Ein Fest der Versöhnung"
- Lied: „Halte zu mir, guter Gott"

Methoden
- Bildbetrachtung
- Hören der biblischen Geschichte
- Gespräch
- Singen

Ziele/Chancen
- Die Kinder lernen das biblische Gleichnis vom barmherzigen Vater kennen.
- Die Kinder erhalten einen emotionalen Zugang zum biblischen Gleichnis.
- Die Kinder übertragen die Erfahrung von Schuld und Versöhnung auf ihr Leben.
- Die Kinder erfahren die biblische Schilderung unter dem Titel „Fest der Versöhnung".

Hinweise
- Evtl. kann die biblische Textpassage, in der auf den zornigen Bruder eingegangen wird, in dieser Einheit weggelassen werden.

Inhaltliche Einordnung
- Das Gleichnis vom barmherzigen Vater thematisiert die Verstrickung des Menschen in Schuld und betont, dass der christliche Gott ein barmherziger Gott ist, der den Menschen in seiner Schuldhaftigkeit annimmt.

Ablauf der Einheit

Begrüßungsritual

Was hätte er sagen können

Zu Beginn der Einheit hängt die Katechetin das Poster „Der barmherzige Vater" auf. Dann liest sie das biblische Gleichnis bis zu der Stelle vor, an der der Sohn sich entscheidet, zum Vater zurückzukehren (Lk 15,11–20a).

Jesus erzählte einmal folgendes Gleichnis: „Ein Mann hatte zwei Söhne. Der jüngere von ihnen sagte zu seinem Vater: Vater, gib mir das Erbteil, das mir zusteht. Da teilte der Vater das Vermögen auf.
Nach wenigen Tagen packte der jüngere Sohn alles zusammen und zog in ein fernes Land. Dort führte er ein zügelloses Leben und verschleuderte sein Vermögen. Als er alles durchgebracht hatte, kam eine große Hungersnot über das Land und es ging ihm sehr schlecht.
Da ging er zu einem Bürger des Landes und drängte sich ihm auf; der schickte ihn aufs Feld zum Schweinehüten. Er hätte gern seinen Hunger mit den Futterschoten gestillt, die die Schweine fraßen; aber niemand gab ihm davon.
Da ging er in sich und sagte: Wie viele Tagelöhner meines Vaters haben mehr als genug zu essen und ich komme hier vor Hunger um. Ich will aufbrechen und zu meinem Vater gehen und zu ihm sagen: Vater, ich habe mich gegen den Himmel und gegen dich versündigt. Ich bin nicht mehr wert, dein Sohn zu sein; mach mich zu einem deiner Tagelöhner.
Dann brach er auf und ging zu seinem Vater."

Nachdem die Katechetin das Gleichnis bis zu dieser Stelle vorgelesen hat, weist sie auf das Bild des Malers Sieger Köder hin und überlegt mit den Kindern, was der Maler gemalt hat. Sie lässt die Kinder ihre Vermutungen äußern und erläutert dann evtl., dass es sich bei dem zweiten Mann um den „neidischen Bruder" handelt.

Dann teilt die Katechetin Sprechblasen aus und bittet die Kinder, in die Sprechblasen jeweils zu schreiben, was der Vater, der Sohn bzw. dessen Bruder in der gemalten Szene sagen könnte. Wenn alle Kinder ihre Sprechblasen beschriftet haben, lädt die Katechetin die Kinder ein, einzeln zum Plakat zu gehen und zunächst dem Sohn, dann dem Vater und schließlich dem Bruder die Sprechblase „anzulegen" und vorzulesen, was die Personen jeweils sagen könnten. Nachdem die Kinder ihre Sprechblasen jeweils vorgetragen haben, werden diese von der Katechetin auf das Plakat mit der Aufschrift „Was der Vater sagt", „Was der jüngere Sohn sagt" bzw. „Was der ältere Sohn sagt" geklebt.

Nachdem alle Kinder ihre Sprechblasen in dieser Form vorgestellt haben, bittet die Katechetin eines der Kinder, den Schluss des biblischen Gleichnisses (Lk 15, 20b–32) vorzutragen. Sie bittet die Kinder, besonders gut zuzuhören und zu versuchen, sich den letzten Satz des Gleichnisses möglichst gut zu merken.

„Der Vater sah ihn schon von weitem kommen und er hatte Mitleid mit ihm. Er lief dem Sohn entgegen, fiel ihm um den Hals und küsste ihn.

Da sagte der Sohn: Vater, ich habe mich gegen den Himmel und gegen dich versündigt; ich bin nicht mehr wert, dein Sohn zu sein.
Der Vater aber sagte zu seinen Knechten: Holt schnell das beste Gewand und zieht es ihm an, steckt ihm einen Ring an die Hand und zieht ihm Schuhe an. Bringt das Mastkalb her und schlachtet es; wir wollen essen und fröhlich sein. Denn mein Sohn war tot und lebt wieder; er war verloren und ist wiedergefunden worden.
Und sie begannen, ein fröhliches Fest zu feiern.
Sein älterer Sohn war unterdessen auf dem Feld. Als er heimging und in die Nähe des Hauses kam, hörte er Musik und Tanz. Da rief er einen der Knechte und fragte, was das bedeuten solle.
Der Knecht antwortete: Dein Bruder ist gekommen und dein Vater hat das Mastkalb schlachten lassen, weil er ihn heil und gesund wiederbekommen hat.
Da wurde er zornig und wollte nicht hineingehen. Sein Vater aber kam heraus und redete ihm gut zu.
Doch er erwiderte dem Vater: So viele Jahre schon diene ich dir, und nie habe ich gegen deinen Willen gehandelt; mir aber hast du nie auch nur einen Ziegenbock geschenkt, damit ich mit meinen Freunden ein Fest feiern konnte. Kaum aber ist der hier gekommen, dein Sohn, der dein Vermögen [mit Dirnen] durchgebracht hat, da hast du für ihn das Mastkalb geschlachtet.
Der Vater antwortete ihm: Mein Kind, du bist immer bei mir, und alles, was mein ist, ist auch dein. Aber jetzt müssen wir uns doch freuen und ein Fest feiern; denn dein Bruder war tot und lebt wieder; er war verloren und ist wiedergefunden worden."

Vom Tod zum Leben

Nachdem der zweite Teil des biblischen Gleichnisses vorgetragen wurde, wartet die Katechetin zunächst einen Moment der kurzen Stille ab. Dann bittet sie die Kinder, den letzten Satz des Gleichnisses aus dem Gedächtnis auf ein Blatt Papier zu schreiben. Wenn alle Kinder den Satz aufgeschrieben haben, wird der biblische Schlusssatz mit Hilfe dieser Notizen gemeinsam „rekonstruiert". Anschließend liest die Katechetin den biblischen Satz nochmals vor: *„... dein Bruder war tot und lebt wieder; er war verloren und ist wiedergefunden worden."*

Die Katechetin legt nun zwei Sprechblasen auf den Tisch, auf denen geschrieben ist: „Ich war tot." bzw. „Ich war verloren.". Gemeinsam mit den Kindern überlegt sie, was der Sohn mit diesen beiden Aussagen meint.

- „Ich habe mich schlecht verhalten."
- „Ich habe Mist gebaut."
- „Ich fühlte mich schlecht."
- „Ich wusste nicht mehr weiter"
- „Ich war am Ende."
- ...

Dann legt die Katechetin zwei weitere Sprechblasen auf den Tisch, auf denen geschrieben ist: „Ich bin wiedergefunden." bzw. „Ich lebe wieder." Nun überlegt sie gemeinsam mit den Kindern, was der Sohn mit diesen beiden Aussagen meint.

- „Mir geht es besser."
- „Ich habe neuen Mut."
- „Ich habe mich versöhnt/vertragen."
- „Alles ist wieder gut."
- ...

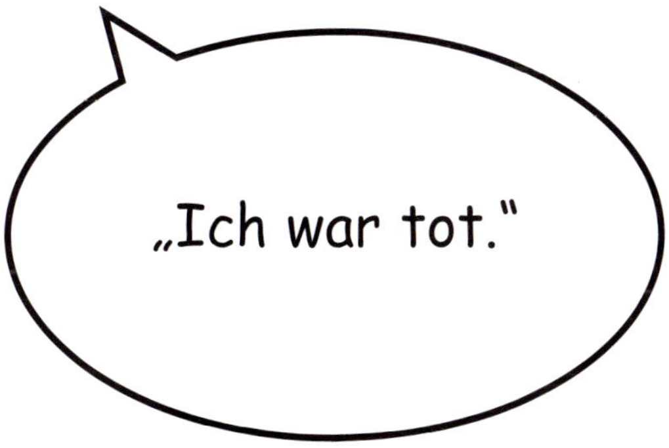

Fest der Versöhnung

Die Katechetin hängt das Poster nun ab und legt es auf den Tisch. Rund um das Bild stellt sie zahlreiche Teelichter. Dann bittet sie die Kinder, sich Situationen zu überlegen, in denen sie selbst zunächst etwas falsch gemacht und sich später wieder versöhnt haben. Sie bittet zunächst ein Kind, von solch einer Erfahrung zu erzählen. Wenn das Kind davon erzählt hat, dass es sich wieder versöhnt/vertragen hat, bittet die Katechetin das Kind, eines der Teelichter anzuzünden. Anschließend dürfen andere Kinder von ihren Versöhnungserfahrungen erzählen und dabei ebenfalls ein Teelicht entzünden. Wichtig ist, dass diese Phase in einer ruhigen Atmosphäre verläuft. Wenn kein Kind mehr erzählen möchte, legt die Katechetin den Titelstreifen „Ein Fest der Versöhnung" über das Plakat und zündet die übrigen Teelichter an.

Halte zu mir, guter Gott

Lied siehe Seite 222, in: Gott lädt uns alle ein, Der Kommunionkurs, Kursbuch für Katechetinnen und Katecheten

Materialien

Was hätte er sagen können?

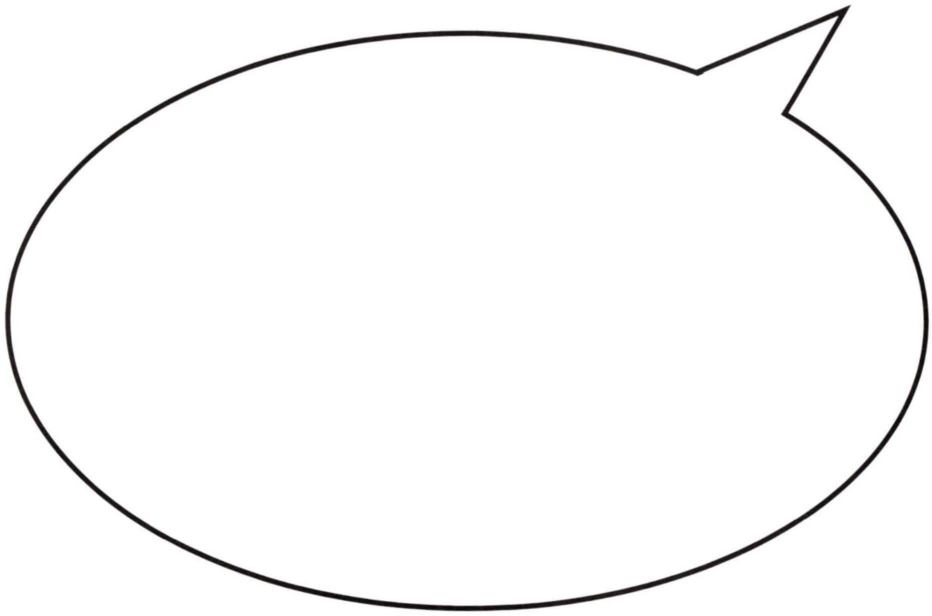

Vom Tod zum Leben

„Ich war tot."

„Ich war verloren."

„Ich lebe wieder."

Fest der Versöhnung

Ein Fest der Versöhnung

Gott ist wie ein guter Vater

Materialien

- mehrere braune Tücher
- 1 große Kerze
- 2 kleine Kerzen
- Geldbeutel mit Münzen
- 1 rotes Tuch
- Spielfiguren
- 1 schwarzes Tuch
- Scherben (alter Blumentopf)
- Poster: Sieger Köder „Der barmherzige Vater"
- Wortkarten
- Karten mit Fragezeichen
- Lied: „Herr, gib uns Mut zum Hören"

Methoden

- Erzählung mit Legematerialien
- Gespräch
- Spiel
- Singen

Ziele/Chancen

- Die Kinder lernen das biblische Gleichnis vom barmherzigen Vater kennen.
- Die Kinder erfahren, dass es bei Buße und Versöhnung nicht um ein punktuelles Geschehen, sondern um einen Prozess der Umkehr geht.
- Die Kinder erkennen, dass es in uns Menschen mit dem Gewissen eine Instanz gibt, die absolute Geltung hat.

Hinweise

- Die Erzählung vom barmherzigen Vater ist vielschichtig und regt Menschen bis heute an, über das Thema Versöhnung nachzudenken. Auch bei Erwachsenen provoziert sie viele Fragen. Es empfiehlt sich, diese Erzählung im Vorfeld im Katechetinnen-Team zu erarbeiten.

Inhaltliche Einordnung

- Wer sich von Gott abwendet, dessen Leben verliert an Sinn. Wer die Beziehung zu Gott aufgibt, der ist mitten im Leben bereits tot.
- Gott wendet sich niemals von einem Menschen ab, wie weit sich der Mensch auch von ihm entfernt hat. Aus dieser Gewissheit kann die Kraft und die Motivation zur Umkehr wachsen. Christliche Motivation zu Buße und Versöhnung ist nicht Angst, sondern Vertrauen darauf, dass Gott barmherzig ist.
- Buße und Versöhnung sind ein prozesshaftes Geschehen. In der Geschichte vom barmherzigen Vater wird deutlich, dass Versöhnung einen Umkehrprozess beim Menschen voraussetzt.

Ablauf der Einheit

Begrüßungsritual

Der barmherzige Vater (Lk 15,11ff)

Die Katechetin erzählt das Gleichnis. Gleichzeitig legt sie in der Mitte die Geschichte mit den verschiedenen Materialien.

Ein Mann hatte zwei Söhne. Der jüngere von ihnen sagte zu seinem Vater: Vater, gib mir das Erbteil, das mir zusteht. Da teilte der Vater das Vermögen auf.

Aus einem braunen Tuch wird ein Haus geformt. Eine große und zwei kleinere brennende Kerzen werden in das Haus gestellt. Eine Geldbörse wird mit dazugelegt.

Nach wenigen Tagen packte der jüngere Sohn alles zusammen und zog in ein fernes Land. Dort führte er ein zügelloses Leben und verschleuderte sein Vermögen.

Ein braunes Tuch wird als Weg gelegt. Ein rotes Tuch stellt das „fremde Land" dar. Eine der beiden kleinen Kerzen wird auf das rote Tuch gestellt. Mehrere Spielfiguren werden als Bewohner um die kleine Kerze gestellt. Die Geldbörse wird ausgeleert.

Als er alles durchgebracht hatte, kam eine große Hungersnot über das Land und es ging ihm sehr schlecht. Da ging er zu einem Bürger des Landes und drängte sich ihm auf; der schickte ihn aufs Feld zum Schweinehüten. Er hätte gern seinen Hunger mit den Futterschoten gestillt, die die Schweine fraßen; aber niemand gab ihm davon.

Ein weiteres Stück Weg wird gelegt. Daran wird ein schwarzes Tuch ausgebreitet. Neben der Kerze werden Scherben auf dieses Tuch gelegt.

Da ging er in sich und sagte: Wie viele Tagelöhner meines Vaters haben mehr als genug zu essen und ich komme hier vor Hunger um. Ich will aufbrechen und zu meinem Vater gehen und zu ihm sagen: Vater, ich habe mich gegen den Himmel und gegen dich versündigt. Ich bin nicht mehr wert, dein Sohn zu sein; mach mich zu einem deiner Tagelöhner.

Die kleine Kerze wird ausgelöscht.

Dann brach er auf und ging zu seinem Vater. Der Vater sah ihn schon von weitem kommen und er hatte Mitleid mit ihm. Er lief dem Sohn entgegen, fiel ihm um den Hals und küsste ihn.

Die große Kerze begegnet der kleinen – nicht brennenden – Kerze auf dem Weg.

Da sagte der Sohn: Vater, ich habe mich gegen den Himmel und gegen dich versündigt; ich bin nicht mehr wert, dein Sohn zu sein.
Der Vater aber sagte zu seinen Knechten: Holt schnell das beste Gewand und zieht es ihm an, steckt ihm einen Ring an die Hand und zieht ihm Schuhe an. Bringt das Mastkalb her und schlachtet es; wir wollen essen und fröhlich sein.
Denn mein Sohn war tot und lebt wieder; er war verloren und ist wiedergefunden worden. Und sie begannen, ein fröhliches Fest zu feiern.

Die kleine Kerze wird an der „Vater-Kerze" entzündet. Die kleine Kerze, die den zweiten Sohn symbolisiert, wird aus dem Haus weggestellt. Das Poster „Der verlorene Sohn" wird auf das Haus gelegt.

Sein älterer Sohn war unterdessen auf dem Feld. Als er heimging und in die Nähe des Hauses kam, hörte er Musik und Tanz. Da rief er einen der Knechte und fragte, was das bedeuten solle. Der Knecht antwortete: Dein Bruder ist gekommen und dein Vater hat das Mastkalb schlachten lassen, weil er ihn heil und gesund wiederbekommen hat. Da wurde er zornig und wollte nicht hineingehen.
Sein Vater aber kam heraus und redete ihm gut zu. Doch er erwiderte dem Vater: So viele Jahre schon diene ich dir, und nie habe ich gegen deinen Willen gehandelt; mir aber hast du nie auch nur einen Ziegenbock geschenkt, damit ich mit meinen Freunden ein Fest feiern konnte. Kaum aber ist der hier gekommen, dein Sohn, der dein Vermögen [mit Dirnen] durchgebracht hat, da hast du für ihn das Mastkalb geschlachtet. Der Vater antwortete ihm: Mein Kind, du bist immer bei mir, und alles, was mein ist, ist auch dein. Aber jetzt müssen wir uns doch freuen und ein Fest feiern; denn dein Bruder war tot und lebt wieder; er war verloren und ist wiedergefunden worden.

Der Weg der Umkehr

Die Kinder äußern zunächst ihre spontanen Gedanken zu dieser Erzählung. Dabei sollte auch zur Sprache kommen, welche Gefühle und Empfindungen der Sohn und der Vater in den unterschiedlichen Phasen der Geschichte haben.
Zudem sollte in diesem Gespräch auch thematisiert werden, warum Jesus diese Geschichte erzählt hat. Er wollte damit deutlich machen, wie barmherzig Gott mit den Menschen umgeht. Selbst wenn sich Menschen von ihm abwenden, so kommt er denen, die zu ihm umkehren, immer wieder neu entgegen. So lädt Jesus mit dieser Geschichte dazu ein, sich immer wieder neu an Gott zu orientieren. Diese Geschichte ist aber auch eine Aufforderung, mit unseren Mitmenschen barmherzig umzugehen.

Darauf zeigt die Katechetin den Kindern die ausgeschnittenen Stichworte.
Die Kinder versuchen, die Stichworte mit der Geschichte in Verbindung zu bringen und legen sie an die entsprechende Stelle auf dem Bodenbild (z. B.: „Versöhnung" wird zum Haus gelegt, wo Vater und Sohn sich versöhnen). Gegebenenfalls müssen die Stichworte inhaltlich geklärt werden.

Du musst dich entscheiden

Dann bittet die Katechetin die Kinder zu überlegen, an welchen Stellen der Geschichte von den handelnden Personen eine Entscheidung zu treffen war.
Die ausgeschnittenen Fragezeichen werden nun an die Stellen auf das Bodenbild gelegt, wo Entscheidungen getroffen worden sind. Dann wird überlegt, welche Entscheidung in dieser Geschichte wohl die bedeutsamste war.

Was soll ich tun?

Die Katechetin erläutert den Kindern, dass es manchmal gar nicht so einfach ist, eine gute Entscheidung zu treffen. Um dies zu verdeutlichen, lädt sie die Kinder zu einem Rollenspiel ein.
Ein Kind setzt sich in die Mitte auf einen Stuhl. Dann wird eine Entscheidungssituation benannt, um die es im Folgenden gehen soll. Das Kind in der Mitte bekommt nun von den anderen Kindern Ratschläge, wie es sich verhalten soll. Dabei dürfen die Kinder alle Vorschläge machen, die ihnen einfallen. Sie schlagen also nicht nur Entscheidungen vor, die sie gut finden. Am Schluss muss das Kind in der Mitte sagen, wie es sich entscheiden würde.
Folgende Entscheidungssituationen können sich für dieses Spiel anbieten:

- Du bist mit deiner Freundin im Kaufhaus. Sie sagt dir, du sollst etwas stehlen. Das würde sowieso keiner merken.
- Du siehst, wie sich zwei Kinder aus deiner Klasse prügeln. Was machst du?
- In der Klasse haben in der Pause ein paar Kinder nichts zu essen.
- Du siehst, wie jemand hinfällt.
- Du spielst mit deinen Freunden. Da kommt ein Kind, das mitspielen möchte.

Anschließend findet ein auswertendes Gespräch mit den Kindern statt. Dabei erarbeitet die Katechetin mit den Kindern, dass es eine Stimme in uns gibt, die Gewissen genannt wird. Diese Stimme bietet eine Orientierung für das Handeln der Menschen an. Wenn Menschen üben, auf diese innere Stimme zu hören, können sie aus ihr auch heraushören, was Gott von ihnen will.

Herr, gib uns Mut zum Hören

Lied siehe Seite 88, in: Gott lädt uns alle ein, Der Kommunionkurs, Kursbuch für Katechetinnen und Katecheten

Der Weg der Umkehr

Versöhnung	Vergebung
Umkehr	schuldig werden
Einsicht	Gewissen
Schuldbewusstsein	Reue

Du musst dich entscheiden

?

Versöhnung ist wie ...

Materialien

- Poster: Sieger Köder „Der barmherzige Vater"
- Plakat, auf dem senkrecht untereinander die Buchstaben des Wortes „Versöhnung" stehen
- Lied: „Wie ein Fest nach langer Trauer"
- Zuckerkreiden
- runde Tonpapierscheiben (ca. 30 cm Durchmesser) für jedes Kind
- großes Plakat, auf das in die Mitte eine (evtl. vergrößerte) Liedkopie geklebt ist
- Kerze

Methoden

- Bildbetrachtung
- Gespräch
- Singen
- Bildnerisches Gestalten

Ziele/Chancen

- Die Kinder lernen das Bild von Sieger Köder und das entsprechende biblische Gleichnis „Der barmherzige Vater" kennen.
- Die Kinder empfinden nach, was „Versöhnung" bedeuten kann.
- Die Kinder schulen ihre Fähigkeit, Bildworte zu verstehen und sich mit ihnen auszudrücken.
- Die Kinder setzen sich kreativ mit „Versöhnung" auseinander.

Hinweise

- „Zuckerkreide" entsteht, wenn bunte Kreiden für ca. eine Stunde in ein Schälchen mit Zuckerwasser gelegt werden. 3–4 EL Zucker werden in dem Wasser aufgelöst, die Kreiden sollten ganz mit Wasser bedeckt sein. Anschließend wird das Wasser weggegossen, und mit den feuchten Kreiden kann gemalt werden. Die Leuchtkraft dieser Farben ist sehr hoch.
- Die beiden erstellten Plakate eignen sich sehr schön, um sie in der Kirche auszuhängen.

Inhaltliche Einordnung

- Am Schluss des Gleichnisses des barmherzigen Vaters steht die Versöhnung zwischen Sohn und Vater. Ohne „Wenn und Aber" wird der Sohn vom Vater wieder aufgenommen. Dieser Zuspruch gilt für uns alle. Wir alle dürfen das beglückende Erlebnis der Versöhnung erfahren, wenn wir umkehren.

Ablauf der Einheit

Begrüßungsritual

Die Umarmung

Die Katechetin zeigt den Kindern das Plakat „Der barmherzige Vater" von Sieger Köder. Sie hat dafür die rechte Hälfte mit dem älteren Sohn mit Hilfe eines Papierstreifens verdeckt, so dass der Fokus auf die linke Bildhälfte gelenkt wird. Die Kinder betrachten das Bild und erzählen, was sie darauf sehen können.
Die Katechetin fordert sie auf, die Bildszene nachzustellen. Jeweils zwei Kinder stellen die Szene gestisch dar.
Anschließend stellen die Kinder Vermutungen an, wie es zu dieser Szene gekommen ist.

Das Gleichnis vom barmherzigen Vater

Die Katechetin erzählt den Kindern, dass der Maler Sieger Köder dieses Bild zu einer Geschichte aus der Bibel gemalt hat. Das Gleichnis wird vorgelesen. Die Kinder haben nun die Aufgabe, sich während des Vorlesens zu melden, wenn sie die Situation erkannt haben, die hier dargestellt ist (Text des Gleichnisses siehe Seite 24 f.).
Die Katechetin lenkt die Aufmerksamkeit noch einmal auf das Bild und sucht mit den Kindern eine passende Überschrift. Eventuell lenkt sie die Kinder auf den Begriff der „Versöhnung".

Was kann Versöhnung bedeuten?

Auf einem Plakat hat die Katechetin die Buchstaben des Wortes „Versöhnung" senkrecht untereinander geschrieben („Ö" sollte wie beim Kreuzworträtsel mit zwei Buchstaben „O" und „E" geschrieben werden.). Gemeinsam sucht die Gruppe nach Begriffen oder kleinen Sätzen, die jeweils mit einem der Buchstaben beginnen und den Begriff „Versöhnung" mit Inhalt füllen (z. B.: V = vertragen, E = einsehen, dass ich etwas falsch gemacht habe…).
Die Katechetin erklärt den Kindern, dass sich auch andere Menschen Gedanken gemacht haben, was Versöhnung bedeuten kann. In dem folgenden Lied gibt es viele Bilder, die ausdrücken, wie Menschen Versöhnung erleben.

So ist Versöhnung

Lied: „Wie ein Fest nach langer Trauer", siehe Seite 36.

So sieht Versöhnung aus

Nachdem die Katechetin die einzelnen Bildworte des Liedes mit den Kindern besprochen hat, sucht sich jedes Kind einen der Vergleiche aus (z. B. Feuer in der Nacht, offenes Tor in einer Mauer…). Alle erhalten einen Tonkarton in Kreisform, auf den sie ihr Motiv mit Zuckerkreide malen.

Wir bitten und danken

Zum Abschluss der Einheit versammeln sich alle in der Mitte.
Auf dem Boden liegt auf einem Plakat das Lied. Die Kerze wird dazugestellt und angezündet.
Die Katechetin spricht den Text des Liedes. Sie bittet die Kinder, an den entsprechenden Stellen ihre Bilder um das Plakat herum zu legen.

Guter Gott,
wir haben heute darüber nachgedacht,
was Versöhnung bedeuten kann.
Versöhnung – das kann sein
wie ein Fest nach langer Trauer,
wie ein Feuer in der Nacht,
ein offenes Tor in einer Mauer,
für die Sonne aufgemacht.
Wie ein Brief nach langem Schweigen,
wie ein unverhoffter Gruß,
wie ein Blatt an toten Zweigen,
ein „Ich-mag-dich-trotzdem-Kuss".

Versöhnung – das kann sein
wie ein Regen in der Wüste,
frischer Tau auf dürrem Land,
Heimatklänge für Vermisste,
alte Feinde Hand in Hand.
Wie ein Schlüssel im Gefängnis,
wie in Seenot „Land in Sicht",
wie ein Weg aus der Bedrängnis,
wie ein strahlendes Gesicht.

Versöhnung – das kann sein
wie ein Wort von toten Lippen,
wie ein Blick, der Hoffnung weckt,
wie ein Licht auf steilen Klippen,
wie ein Erdteil neu entdeckt.
Wie der Frühling, wie der Morgen,
wie ein Lied, wie ein Gedicht,
wie das Leben und die Liebe,
wie Gott selbst, das wahre Licht.

Du bist wie ein Vater,
der immer mit offenen Armen
auf uns wartet,
egal, was wir angestellt haben.
Dafür danken wir dir.
Amen.

So ist Versöhnung

Anschließend wird noch einmal das Lied „Wie ein Fest nach langer Trauer" gesungen.

Wie ein Fest nach langer Trauer

T: Jürgen Werth, M: Johannes Nitsch, © 1988 Hänssler Verlag, 71087 Holzgerlingen

2. Wie ein Regen in der Wüste,
frischer Tau auf dürrem Land,
Heimatklänge für Vermisste,
alte Feinde Hand in Hand.
Wie ein Schlüssel im Gefängnis,
wie in Seenot „Land in Sicht"
wie ein Weg aus der Bedrängnis,
wie ein strahlendes Gesicht.
Refr.: So ist Versöhnung, …

3. Wie ein Wort von toten Lippen,
wie ein Blick, der Hoffnung weckt,
wie ein Licht auf steilen Klippen,
wie ein Erdteil neu entdeckt.
Wie der Frühling, wie der Morgen,
wie ein Lied, wie ein Gedicht,
wie das Leben, wie die Liebe,
wie Gott selbst, das wahre Licht.
Refr.: So ist Versöhnung, …

Unsere Hände sollen eine starke Brücke sein

Materialien
- Kieselsteine
- Plakat mit Brücke
- Lied: „Unsre Hände sollen eine starke Brücke sein"

Methoden
- Gespräch
- Hören einer Geschichte
- Gestaltung eines gemeinsamen Plakates
- Singen

Ziele/Chancen
- Die Kinder machen sich bewusst, wie Streit entsteht und eskaliert. Sie lernen alternative Konfliktbewältigungs-Strategien kennen.
- Den Kindern wird vermittelt, dass es in jeder Situation verschiedene Handlungsoptionen für uns Menschen gibt.
- Den Kindern wird das Symbol „Brücke" als Deutungsmuster für das Zusammenleben von Menschen angeboten.

Hinweise
- Das in dieser Einheit entstandene Brückenbild könnte evtl. im Rahmen eines Familiengottesdienstes zum Friedensgruß mit einbezogen werden.

Inhaltliche Einordnung
- Das Bild der Brücke besitzt zwei theologische Anknüpfungspunkte: Zum einen müssen Menschen selbst aktiv werden, um die verbindende Brücke zu bauen. Zum anderen basiert jede Brücke auf der Vergebungsbereitschaft Gottes, die das Fundament für den Akt der Versöhnung darstellt.

Ablauf der Einheit

Begrüßungsritual

Was kann ich mit Steinen alles machen?

In der Mitte liegen mehrere Kieselsteine. Die Kinder erzählen, was man mit den Steinen alles machen kann:

- werfen,
- Fußball spielen,
- bauen,
- übers Wasser flitschen,
- ...

Die Katechetin erklärt den Kindern, dass sie ihnen eine Geschichte vorlesen wird, in der es auch um Steine geht.

Die Brücke

Max und Peter waren Schüler der dritten Klasse. Sie wohnten einander gegenüber in derselben Straße einer kleinen Stadt. Früher waren sie gute Freunde gewesen; dann war es aus einem unerfindlichen Grunde zu Streit gekommen, und sie hatten begonnen, einander wie böse Feinde zu hassen.
Lief Max aus dem Tor seines Hofes, so schrie er über die Straße: „He, du Blödmann!" Und er zeigte dem früheren Freund die Faust. Und Peter machte blöde Bemerkungen und drohte mit dem Stinkefinger. Ihre Schulkameraden versuchten mehrmals, die beiden zu versöhnen, aber alle Mühe war umsonst: Sie waren richtige Starrköpfe. Schließlich fingen sie an, einander mit Schmutzklumpen zu bewerfen.

Einmal regnete es besonders stark. Dann verzogen sich die Wolken, und die Sonne zeigte sich wieder, aber die Straße stand unter Wasser. Max trat aus dem Haus, blieb beim Hoftor stehen und schaute mit Vergnügen um sich. Plötzlich aber verfinsterte sich sein Gesicht. Er sah seinen Feind Peter am jenseitigen Hoftor stehen. Und er sah auch, dass Peter einen großen Stein in der Hand hielt.
So, so, dachte sich Max, du willst also einen Stein nach mir werfen. Nun gut, das kann ich auch!
Er lief in den Hof zurück, suchte und fand einen Ziegel und lief wieder auf die Straße, zur Abwehr bereit.

An dieser Stelle unterbricht die Katechetin die Erzählung. Die Kinder stellen Vermutungen an, wie die Geschichte weitergehen könnte.

Doch Peter warf den Stein nicht nach dem Feind. Er kauerte sich an den Straßenrand und legte ihn behutsam ins Wasser. Dann prüfte er mit dem Fuß, ob der Stein nicht wackle, und verschwand wieder. Der Stein sah wie eine kleine Insel aus. Ach so, sagte sich Max. Das kann ich auch. Und er legte seinen Ziegel ebenfalls ins Wasser.
Peter schleppte schon einen zweiten Stein herbei. Vorsichtig trat er auf den ersten und senkte den zweiten ins Wasser, in einer Linie mit dem Ziegel seines Feindes. Dann holte Max drei Ziegelsteine auf einmal.
So bauten sie einen Übergang über die Straße. Leute standen zu beiden Seiten: Sie schauten den Jungen zu und warteten. Schließlich blieb nur ein Schritt zwischen dem letzten Ziegel und dem letzten Stein. Die Kinder standen einander gegenüber. Seit langer Zeit blickten sie sich zum erstenmal wieder in die Augen und Max sagte: „Ich habe ein neues Computerspiel. Willst du zu mir kommen?"

Leicht verändert nach Natalie Oettli, Quelle unbekannt

Anschließend werden die Kinder zu spontanen Äußerungen ermutigt. Sie überlegen, was dazu geführt hat, den Streit zwischen den beiden Kindern zu beenden.
Danach tauschen sich die Kinder darüber aus, ob sie ähnliche Situationen kennen. Sie beschreiben, wie ein Streit angefangen hat, wie er beendet wurde und wie Versöhnung stattgefunden hat.

Die Brücke der Versöhnung

Die Katechetin legt das Plakat mit der Brücke in die Mitte.
Sie fasst noch einmal den Inhalt der Geschichte zusammen: Menschen, die sich versöhnen, bauen Brücken aufeinander zu.
Sie fordert die Kinder auf zu überlegen, wie zwischen Menschen Brücken gebaut werden können. Die Ideen schreiben die Kinder auf die Mauersteine der Brücke auf dem Plakat. So entsteht eine Brücke der Versöhnung.

Die Katechetin fragt die Kinder, wo ihnen eine solche Brücke begegnet.
Wahrscheinlich werden die Kinder zunächst Situationen aus ihrem Alltag schildern. Im Gespräch lenkt die Katechetin die Kinder auf die bevorstehende Feier des Bußsakraments. In der Buße wird gefeiert, dass die Brücke zu Gott und zu anderen Menschen immer wieder aufgebaut werden kann.

Mit den Kindern überlegt die Katechetin, wie die von den Kindern gestaltete Brücke genannt werden kann. Evtl. schlägt sie als Formulierung vor: „Brücke der Buße" bzw. „Brücke der Versöhnung". Die Überschrift wird dem Plakat noch hinzugefügt.

Unsre Hände sollen eine starke Brücke sein

Lied siehe Seite 41.

Die Brücke der Versöhnung

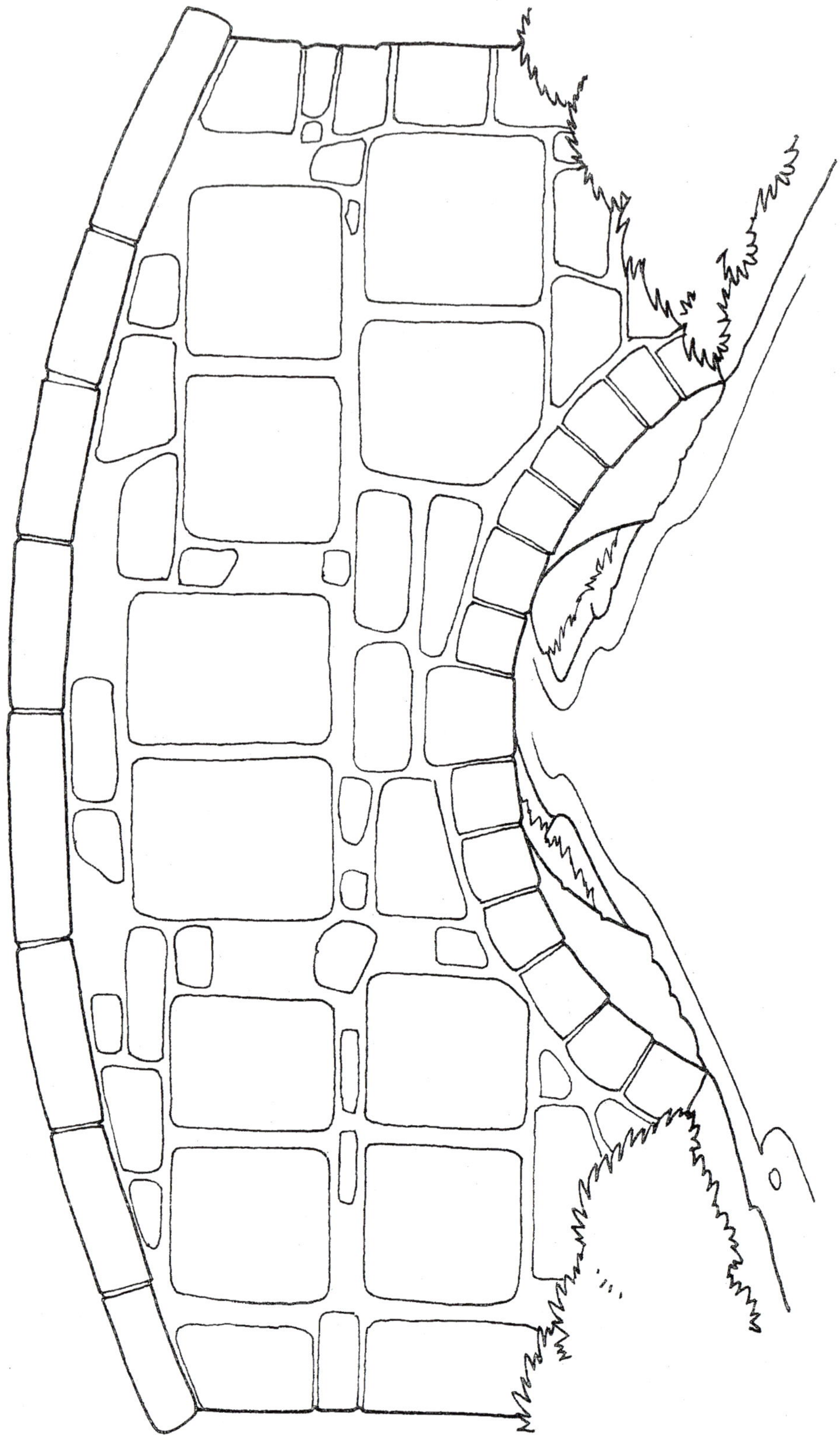

Unsre Hände sollen eine starke Brücke sein

T: Rolf Krenzer, M: Reinhard Horn, aus: Buch inkl. CD „Gottes-Kinder-Lieder", © KONTAKTE Musikverlag, 59557 Lippstadt

Refr.: Unsre Hände sollen eine starke
Brücke sein.
Haltet fest die Hände,
und sie stürzt nicht ein.
Wenn auch die Stürme wehn,
uns kann wirklich nichts geschehn,
wenn wir Hand in Hand zusammenstehn.

2. Hand in Hand zu stehn,
ist für uns ein Glück.
Drückst du mir die Hände,
drück ich gleich zurück.
Stehn wir Hand in Hand,
egal wie du auch heißt,
verbindet uns ein festes Band,
das niemals mehr zerreißt.

Refr.: Unsre Hände …

3. Jeder wird zum Stein,
der die Brücke hält.
So führt die starke Brücke
von dir bis in die Welt.
Keiner ist zu schwach,
keiner ist zu klein.
Für unsere Brücke wird ein jeder
grade richtig sein!

Refr.: Unsre Hände …

Besser leben

Materialien
- Arbeitsblatt „Schuldbekenntnis“
- drei Plakate mit den jeweiligen Überschriften „verletzende Gedanken“, „verletzende Worte“ und „verletzende Werke“
- Kreppband
- Arbeitsblatt: „Das will ich besser machen“
- Kreuzworträtsel
- Lied: „Schweige und höre“

Methoden
- Gespräch
- Laufspiel
- Singen
- Hören einer Geschichte

Ziele/Chancen
- Den Kindern wird bewusst, dass die Buße ein Bestandteil jeder Messe ist.
- Die Kinder erfahren, dass Buße letztlich ein „Bessermachen“ meint.
- Den Kindern wird ein Bezug zum Ort der Beichte (Beichtzimmer/Beichtstuhl) als „Ort eines besseren Lebens“ vermittelt.

Hinweise
- Da diese Einheit in der Kirche stattfindet, müssen die Kinder bereits in der Woche vorher darüber informiert werden.
- Das Spiel in dieser Einheit ist draußen für den Kirchplatz geplant. Sollte das Wetter schlecht sein, kann es im Pfarrheim durchgeführt werden.

Inhaltliche Einordnung
- Zu Beginn der Eucharistiefeier spricht die gesamte Gemeinde das Schuldbekenntnis: „Ich bekenne Gott dem Allmächtigen, und allen Brüder und Schwestern, dass ich Gutes unterlassen und Böses getan habe. Ich habe gesündigt in Gedanken, Worten und Werken durch meine Schuld, durch meine Schuld, durch meine große Schuld. Darum bitte ich die selige Jungfrau Maria, alle Engel und Heiligen und euch, Brüder und Schwestern, für mich zu beten bei Gott, unserem Herrn.“ Dieses Bekenntnis steht im Zentrum dieser Einheit.

Ablauf der Einheit

Begrüßungsritual

Das Schuldbekenntnis

Die Gruppe trifft sich im Kirchenraum. Nachdem die Kinder in einer Sitzreihe Platz genommen haben, teilt die Katechetin Kopien des Schuldbekenntnisses aus und bittet ein Kind, diesen Text vorzulesen. Dabei erwähnt sie zunächst nicht, dass es sich um ein Schuldbekenntnis handelt. Wenn der Text vorgelesen wurde, sollen die Kinder selbst herausfinden, wo er ihnen bereits begegnet ist. Sollte der Text den Kindern unbekannt erscheinen, hilft die Katechetin bei der Zuordnung.

In Gedanken, Worten und Werken

In der folgenden Phase geht die Katechetin mit den Kindern auf den Kirchenvorplatz. Die Katechetin legt in drei Ecken des Platzes Plakate mit den Begriffen „verletzende Gedanken", „verletzende Worte" und „verletzende Werke". In der Mitte markiert sie einen Kreis mit Kreppband auf dem Boden. Sie fordert die Kinder auf, in diesem Mittelkreis zusammenzukommen. Nun liest sie verschiedene Episoden vor. Nach jeder Episode gibt sie ein Startsignal (z. B. Klatschen). Sobald sie das Signal gegeben hat, müssen die Kinder möglichst schnell bei dem Plakat „anschlagen", zu dem die Episode passt:

• Nach der Schule gehen Moritz und Hannes nach Hause. Hannes ist traurig, weil er viele Fehler in der Rechenarbeit hat. „Du bist halt zu dumm", lacht Hannes ihn aus.
(Plakat: „verletzende Worte")

• Anna, Lena und Lara haben sich zum Einradfahren verabredet. Blöderweise hat Laras Rad einen platten Reifen. „Lass uns dann etwas anderes spielen", bittet Lara. Aber Anna schüttelt den Kopf. „Nein, dann können halt nur Lena und ich miteinander spielen."
(Plakat: „verletzende Worte" oder „verletzende Werke")

• „Du blöde Kuh bekommst nichts von mir", denkt Martin, als Lara ihn nach seinem Radiergummi fragt. „Tut mir leid, Lara", erwidert er mit freundlicher Stimme, „ich habe ihn wohl zu Hause vergessen."
(Plakat: „verletzende Gedanken")

• Robin, Tim, Lukas und Florian spielen Fußball. „Los, nimm ihm den Ball ab", ruft Robin Lukas zu, als er Tim auf sein Tor zulaufen sieht. Lukas will Tim den Ball wegspitzeln, doch Tim ist bereits flink an ihm vorbeigerannt. Da grätscht Lukas von hinten, und Tim fällt zu Boden.
(Plakat: „verletzende Werke")

• Julia, Hanna und Mona spielen Fangen. „Das gilt nicht, dass du immer wieder in euer Haus läufst", protestiert Mona ganz außer Atem. „Wieso? Dein Pech, dass du keinen Schlüssel hast", lacht Julia.
(Plakat: „verletzende Worte" oder „verletzende Werke")

• Armin fährt mit dem Schulbus nach Hause. „Sollen wir uns heute verabreden?", fragt er Benedikt. „Mit dir verabrede ich mich doch nicht", denkt Benedikt und schüttelt den Kopf: „Wir haben heute so viele Schulaufgaben auf, dass ich leider keine Zeit habe."
(Plakat: „verletzende Gedanken")

• „Hast Du schon gehört, was Yannik heute wieder passiert ist?", grinst Julian. „Nein, keine Ahnung", zuckt Chris ahnungslos mit den Schultern. „Der hat wieder mit dem Stuhl gewippt und ist voll auf den Rücken geknallt", lacht Julian laut.
(Plakat: „verletzende Worte")

• ...

Bei diesem Spiel können die Kinder zu den jeweiligen Plakaten rennen. Alternativ kann die Katechetin auch vorgeben, dass die Kinder sich nur auf einem Bein hüpfend, krabbelnd, ... fortbewegen dürfen.

Schweige und höre

Anschließend geht die Katechetin mit den Kindern wieder in die Kirche. Um nach dieser „bewegten" Phase wieder zur Ruhe zu kommen, singt sie zunächst mit den Kindern das Lied „Schweige und höre" (evtl. als Kanon).
Lied siehe Seite 45.

Die Katechetin erläutert den Kindern, dass das Schuldbekenntnis im Gottesdienst ein Teil des Bußaktes ist. Und der Begriff Buße geht auf den Begriff „buoze" (besser) zurück. Buße meint also, dass man etwas besser machen möchte. Sie überlegt mit den Kindern, wie sie herausfinden können, was sie in ihrem Leben besser machen können. Wenn die Kinder (oder evtl. die Katechetin) das „Gewissen" benannt haben, kann die Katechetin darauf verweisen, dass das Lied „Schweige und höre" ebenfalls auf eine innere Stimme im Menschen verweist und lädt die Kinder ein, das Lied nochmals zu singen.

Es besser machen

Anschließend fordert die Katechetin die Kinder auf, auf dem Arbeitsblatt „Das will ich besser machen" (siehe Seite 46) aufzuschreiben, was sie in ihrem Leben besser machen wollen. Die Zettel werden anschließend zusammengefaltet und in einen kleinen Korb gelegt. Die Katechetin bittet ein Kind, den gefüllten Korb zum Ort der Beichte (Beichtzimmer/Beichtstuhl) zu bringen. Sie verweist darauf, dass dies ein Ort ist, an dem sich Menschen darüber Gedanken machen, was ihnen im Leben misslungen ist und was sie in ihrem Leben verbessern wollen. Somit wird das Beichtzimmer/der Beichtstuhl zum „Ort eines besseren Lebens".

Unsere Gabe für ein besseres Leben

Die Katechetin teilt den Kindern mit, dass ihre Zettel nicht im Beichtzimmer/Beichtstuhl bleiben, sondern dass sie im Rahmen des nächsten Sonntagsgottesdienstes zusammen mit den Kollektenkörbchen zum Altar gebracht werden sollen. Damit soll ausgedrückt werden, dass die Kinder, die sich auf das Fest der Versöhnung vorbereiten, Gott mit ihren guten Vorsätzen eine besonders wertvolle Gabe zum Altar bringen. Die Katechetin wählt ein Kind aus der Gruppe aus, das den Korb mit den Zetteln am Sonntag zum Altar tragen darf.

Ort für ein besseres Leben

Nun geht die Katechetin mit den Kindern zum Beichtzimmer/Beichtstuhl und zeigt ihnen diesen Ort. Sie erklärt den Kindern, wo der Priester sitzt und wo ihr Platz sein wird. Sie fordert die Kinder auf, diesen Ort kennenzulernen, sich dort hinzusetzen oder hinzuknien. Evtl. singt sie nochmals mit den Kindern das Lied „Schweige und höre".

Die Heimkehr

Zum Ausklang liest die Katechetin den Kindern im Beichtzimmer die Geschichte „Die Heimkehr" vor. Es ist der Inhalt eines berühmten amerikanischen Songs („Tie a Yellow Ribbon Around the Old Oak Tree"):

Nach vielen Jahren kommt ein Gefangener aus dem Gefängnis frei. Er hat Angst, nach Hause zu kommen. Wird man ihn dort noch aufnehmen? Will man noch etwas von ihm wissen? Er schreibt einen Brief: Vorn auf dem Hof steht eine alte Eiche. Er wird mit dem Bus kommen, der an dem Baum vorbeifährt. Wenn an dem Baum ein gelbes Band weht, weiß er, dass er kommen darf. Wenn nicht, dann bleibt er im Bus sitzen und fährt weiter und verschwindet für immer. Am Tag der Entlassung sitzt der Mann voll banger Erwartung im Bus. Und als der Bus um die Kurve fährt, sieht er den Baum schon von Weitem leuchten – über und über mit Hunderten gelber Bänder behangen!

Wer weiß Bescheid?

Die Kinder erhalten zum Abschluss ein Kreuzworträtsel, das sie zu Hause ausfüllen können.

Materialien

Das Schuldbekenntnis

„Ich bekenne Gott dem Allmächtigen, und allen Brüder und Schwestern, dass ich Gutes unterlassen und Böses getan habe. Ich habe gesündigt in Gedanken, Worten und Werken durch meine Schuld, durch meine Schuld, durch meine große Schuld. Darum bitte ich die selige Jungfrau Maria, alle Engel und Heiligen und euch, Brüder und Schwestern, für mich zu beten bei Gott, unserem Herrn."

Schweige und höre

T: Michael Hermes nach der Benediktregel, M: aus England, Quelle unbekannt

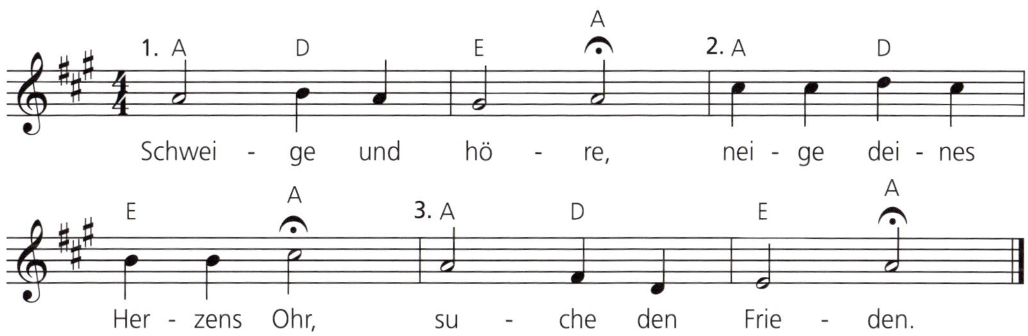

Es besser machen

Das will ich besser machen

....

....

....

....

....

....

....

Wer weiß Bescheid?

Lösung von Seite 47

				1 V	A	T	E	R							
			2 V	E	R	G	E	B	E	N					
			3 P	R	I	E	S	T	E	R					
	4 B	E	S	S	E	R		M	A	C	H	E	N		
			5 S	O	H	N									
			6 G	E	W	I	S	S	E	N					
7 B	E	I	C	H	T	E									
			8 E	N	T	S	C	H	E	I	D	E	N		
				9 U	M	K	E	H	R						
			10 E	N	T	S	C	H	U	L	D	I	G	E	N
				11 G	E	M	E	I	N	S	C	H	A	F	T

Wer weiß Bescheid?

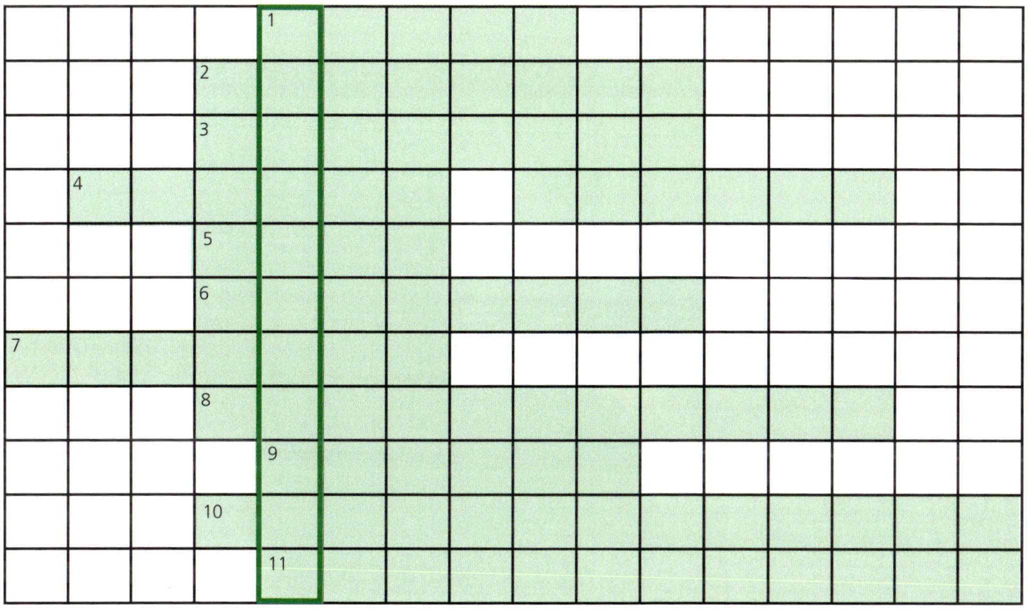

1. Jesus erzählt das Gleichnis vom „Barmherzigen ____________________".
2. In dem Gleichnis hat der Vater dem Sohn ____________________.
3. In der Beichte spricht uns der ____________________ die Vergebung Gottes zu.
4. Buße bedeutet: Etwas ____________________ ____________________.
5. Jesus erzählt in dem Gleichnis vom Vater und dem ____________________.
6. Die innere Stimme in uns nennen wir ____________________.
7. Wir bereiten uns auf das Sakrament der ____________________ vor.
8. In vielen Situationen müssen wir uns für eine Möglichkeit ____________________.
9. Wenn wir etwas falsch gemacht haben, haben wir die Möglichkeit zur ____________.
10. Wenn ich mich mit meinem Freund wieder vertragen will, kann ich mich bei ihm ____________________.
11. Wenn wir uns vertragen, erleben wir eine tolle ____________________.

Und vergib uns unsere Schuld

Materialien
- Kinderrucksack gefüllt mit Proviant für ein Picknick
- mehrere große Steine
- für jedes Kind ein Versöhnungsheft (siehe Kopiervorlage)
- Arbeitsblatt: „Die Beichte"
- Lieder: „Unser Vater im Himmel", „Wie ein Fest nach langer Trauer"

Methoden
- Hören einer Geschichte
- Gespräch
- Erstellen eines Versöhnungsheftes
- Singen

Ziele/Chancen
- Den Kindern wird bewusst, dass Schuld ein belastendes Gefühl ist.
- Den Kindern wird bewusst, dass es gut tut, sich von seiner Schuld zu befreien.
- Die Kinder werden mit dem Ablauf der Beichte vertraut.

Hinweise
- Mit der Erstellung eines Versöhnungsheftes haben die Kinder etwas in der Hand, um sich bei der Beichte sicherer zu fühlen.

Inhaltliche Einordnung
- Schon bei Mt 11,28 heißt es: „Kommt alle zu mir, die ihr euch plagt und schwere Lasten zu tragen habt." Schuld bedrückt Menschen wie eine schwere Last. Gott bietet uns im Sakrament der Versöhnung an, uns von unserer Schuld zu befreien.

Ablauf der Einheit

Begrüßungsritual

Vaterunser

Zu Beginn der Einheit singt die Katechetin mit den Kindern das Vaterunser.
(Lied siehe Seite 145, in: Gott lädt uns alle ein, Der Erstkommunionkurs, Kursbuch für die Katechetinnen und Katecheten)

Manchmal schleppe ich viel Gepäck mit mir herum

Die Katechetin stellt einen voll gepackten Rucksack in die Mitte. In ihm befinden sich – für die Kinder zunächst nicht sichtbar – mehrere Dinge für ein Picknick und mehrere schwere Steine. Insgesamt sollte der Rucksack für ein Kind recht schwer sein.
Auf drei Steinen steht jeweils: „Stein des Streites", „Stein ..., „Stein ...
Die Kinder assoziieren zunächst, was sie mit einem voll gefüllten Rucksack verbinden. Anschließend erzählt die Katechetin die folgende Szene:

Jan freut sich. Seine Klasse macht heute einen Ausflug. Sie werden erst ein Stück mit dem Bus fahren, weiter geht es zu Fuß durch den Wald. Am Abenteuerspielplatz werden sie dann eine lange Pause machen, bevor es mittags wieder zurückgeht. „Bringt euch alle etwas zum Picknicken mit!", hat Frau Bauer, die Klassenlehrerin, noch zum Schluss gesagt. Jans Mutter hat viele leckere Dinge in seinen Rucksack eingepackt. „Viel Spaß wünsche ich dir", ruft sie ihm hinterher.
Jan geht zusammen mit seiner kleinen Schwester Inga los. Inga ist im ersten Schuljahr. Eigentlich soll Jan immer mit ihr zusammen zur Schule gehen, aber manchmal ist ihm das einfach zu blöd, immer auf die kleinen Mädchen aufzupassen.
Außerdem trifft Inga an der nächsten Ecke sowieso ihre Freundin, dann ist sie gar nicht allein.
Heute ist Jan so aufgeregt, dass er viel schneller geht als sonst. „Warte doch!", ruft Inga. „Ich kann nicht so schnell!"
„Trödeltante! Dann beeil dich eben", gibt Jan pampig zurück. Er geht weiterhin sehr schnell. Inga ist inzwischen schon mehrere Meter hinter ihm. „Das erzähle ich Mama!", fängt Inga an zu weinen. „Blöde Petzliese!" Jan wird jetzt richtig sauer. „Immer muss ich auf dich warten!" Missmutig bleibt er stehen und trottet dann schweigend neben Inga her. „Jetzt kannst du aber hoffentlich alleine gehen", meint er, als sie ihre Freundin trifft.
Zwei Straßen weiter klingelt Jan bei Moritz. Moritz ist sein bester Freund und sie kennen sich schon seit dem Kindergarten. Nachdem sie einander erzählt haben, welchen Proviant sie dabei haben, meint Moritz plötzlich: „Mist, ich habe meine Torwarthandschuhe vergessen! Ich laufe schnell zurück und hole sie. Wartest du hier?" „Aber beeil dich wirklich. Wir sind schon spät dran!", ruft ihm Jan noch hinterher. Das passt ihm gar nicht. Warum muss Moritz auch die Handschuhe vergessen? Das Warten fällt Jan schwer. Warum kommt Moritz auch nicht wieder? Ich geh jetzt los, beschließt Jan. Soll Moritz doch hinterherkommen. Schließlich hat er die Handschuhe vergessen.
Jan geht weiter. Seine ganze Vorfreude auf den Ausflug ist wie weggeblasen. So ein blöder Morgen!, denkt er. Wütend kickt er eine leere Coladose, die auf dem Bürgersteig liegt, vor sich her. Moritz ist immer noch nicht zu sehen.

Rumms, da landet die Dose im Garten von Frau Schüller. Mitten im Blumenbeet ist sie gelandet! Mehrere Blumen sind umgeknickt. „Ist mir doch egal! Warum müssen die Blumen auch ausgerechnet hier am Rand stehen?", murmelt Jan.
Jan hat plötzlich gar keine richtige Lust mehr auf den Ausflug. Außerdem drückt sein Rucksack. Er ist so schwer. Jan hat das Gefühl, er sei viel schwerer als sonst. Er spürt, wie ihm irgend etwas das Leben schwer macht. Ist es der schwere Rucksack, der den Jungen so bedrückt? Jan hat das Gefühl, dass er gar nicht mehr gerade gehen kann.
Als die beiden Jungen schließlich an der Schule angekommen sind, geht Jan sofort zum Aufstellplatz seiner Klasse. Endlich kann er die schwere Last absetzen. Jan kniet sich hin und öffnet den Rucksack. Er muss doch einmal nachschauen, was sich so schwer anfühlt und was ihn da bedrückt …

Die Katechetin weist die Kinder auf den Rucksack hin, den sie eben in die Mitte gelegt hat. Sie bittet die Kinder, jeweils ein Teil aus dem Rucksack auszuräumen und es in die Mitte zu legen. Die Kinder sollen bei jedem Gegenstand kurz benennen, was für einen Gegenstand sie aus dem Rucksack genommen haben. Nacheinander werden der Proviant und die Steine herausgenommen. Die Gruppe überlegt gemeinsam, was die Steine im Rucksack zu bedeuten haben:

- Steine sind schwer zu tragen. Sie stehen für das, was Jan belastet hat: Sein Verhalten gegenüber seiner Schwester, sein Wortbruch gegenüber Moritz und das Malheur mit den Blumen von Frau Schüller.
- Manchmal tragen wir Schuld mit uns herum, die schwer wie ein Stein ist.
- Schuld drückt uns nieder. Es geht uns nicht gut, wenn wir uns schuldig fühlen.

Die Kinder erhalten das Versöhnungs-Heft, das die Katechetin zuvor für alle Kinder kopiert hat. Auf Seite 3 tragen sie ein, wann sie selbst in einer Situation schuldig geworden sind. Sie schreiben dies in die „Steine-Felder" in dem Rucksack.

Umgang mit Schuld

Die Katechetin befragt die Kinder, wie die Geschichte von Jan weitergehen könnte. Was soll Jan mit den dicken, schweren Steinen, was soll er mit seiner Schuld machen? Im Gespräch macht sie die Kinder darauf aufmerksam, dass es nicht nur reicht, die Steine einfach aus dem Rucksack herauszunehmen. Damit würde sich Jan nicht besser fühlen. Nachdem einige Möglichkeiten vorgeschlagen worden sind, erzählt die Katechetin die Geschichte zu Ende.

Jan ist nachdenklich geworden. Er hat sich seiner Schwester gegenüber unfair verhalten, er hat die Abmachung mit Moritz nicht eingehalten. Und die Blumen von Frau Schüller hat er auch kaputtgeschossen.
Schnell steht Jan auf. Er läuft über den Schulhof zur Klasse von Inga. Jan flüstert ihr ins Ohr: „Tut mir leid, Inga. Ich war vorhin gemein zu dir. Morgen gehen wir zusammen, ja?" Inga nickt mit großen Augen und strahlt ihn an. Jan fühlt sich schon viel besser. Da klingelt es zum Unterricht. Gerade ist auch Moritz angekommen. Er würdigt Jan keines Blickes.
Als die Klasse schon eine Weile unterwegs ist, haben Jan und Moritz immer noch kein Wort miteinander geredet. „Welche Laus ist euch denn über die Leber gelaufen?", fragt Frau Bauer. „Ihr habt euch doch sonst immer etwas zu erzählen?" Doch beide Kinder starren nur auf den Boden. Schließlich hält es Jan nicht mehr länger aus. Als sie eine Rast machen, geht er zu Moritz hin und fragt ihn: „Willst du die Hälfte von meinem Schokoriegel haben?" Als Moritz nickt, sagt Jan: „Tut mir leid, ich hätte nicht weglaufen sollen. Aber du warst so lange weg. Spielen wir trotzdem auf dem Spielplatz zusammen Fußball?" „O.k.", grinst ihn Moritz an, „ich geh ins Tor!"
Nachdem sich auf dem Abenteuerspielplatz alle ausgetobt haben, macht sich die Klasse auf den Rückweg. Jan ist froh, dass er die Sache mit Inga und Moritz geklärt hat. Aber irgendwie fühlt er sich immer noch bedrückt. Wie kann er nur die Sache mit den Blumen wieder in Ordnung bringen? Er erzählt Moritz von seinem Problem. „Komm,

wir pflücken hier ein paar Blumen und bringen sie Frau Schüller als Entschuldigung mit", schlägt Moritz vor. Die beiden Kinder stellen einen Strauß aus vielen Gräsern und einigen Blumen zusammen. „Das war eine gute Idee", nickt Jan Moritz zu.
Auf dem Rückweg von der Schule klingelt Jan bei Frau Schüller. Erstaunt macht die ältere Dame die Tür auf. „Entschuldigung, ich habe heute morgen mit einer Coladose ihre Blumen umgeknickt", sprudelt Jan ganz schnell hervor. „Hier, die sind für Sie!" Er hält Frau Schüller den Strauß entgegen. Frau Schüller lächelt. „Das ist aber nett von dir. Der Strauß ist wirklich schön. Danke!"
„Mir fällt ein Stein vom Herzen, dass ich die Sache mit den Blumen aus der Welt geschafft habe", gesteht Jan seinem Freund, als sie weitergehen. „Jetzt fühle ich mich schon viel besser." Und tatsächlich: Auf dem weiteren Weg laufen die beiden Freunde wie immer lachend und erzählend nebeneinander her. „Na, du bist jetzt wieder ganz der Alte", grinst Moritz, als die beiden Freunde zu Hause ankommen. „Sollen wir uns für heute Nachmittag verabreden?" „Klar", nickt Jan und spürt, dass ihm nach dem misslungenen Morgen nun wieder ganz leicht ums Herz geworden ist.

Im Anschluss an die Geschichte füllen die Kinder in ihrem Heft die Seite 4/5 aus. Dafür tragen sie in die jeweiligen „Stein-Felder" die Situationen ein, die sie auf der vorherigen Seite benannt haben. In die dazugehörigen Versöhnungs-Kästen schreiben sie, wie sie sich jeweils wieder versöhnen können (z. B.: Wenn mich ein Stein des Streites belastet, kann ich mich wieder mit dem anderen vertragen).

Vor Gott die Steine mit der Schuld legen

Die Katechetin lenkt im weiteren Gespräch das Thema auf das bevorstehende Sakrament der Versöhnung. Sie erklärt den Kindern, dass Gott uns die Möglichkeit gibt, die Steine unserer Schuld auch bei ihm abzulegen. Gemeinsam überlegt sie mit den Kindern, wie ein Beichtgespräch ablaufen wird. Dazu verteilt sie das Arbeitsblatt „Die Beichte" (siehe Seite 56). Die Kinder schneiden die Satzstreifen auseinander und bringen sie in die richtige Reihenfolge. Anschließend kleben sie die Sätze im Heft auf Seite 6 untereinander.

So ist Versöhnung

Zum Abschluss singt die Gruppe das Lied: „Wie ein Fest nach langer Trauer" auf Seite 8 des Versöhnungsheftes.

Materialien

Manchmal schleppe ich viel Gepäck mit mir herum

Um das Versöhnungsheft zu erstellen, müssen die Seiten 1 und 2 sowie die Seiten 3 und 4 jeweils beidseitig kopiert, gefaltet und ineinandergelegt werden.

Wie ein Fest nach langer Trauer

T: Jürgen Werth, M: Johannes Nitsch, © 1988 Hänssler Verlag, 71087 Holzgerlingen

2. Wie ein Regen in der Wüste,
frischer Tau auf dürrem Land,
Heimatklänge für Vermisste,
alte Feinde Hand in Hand.
Wie ein Schlüssel im Gefängnis,
wie in Seenot „Land in Sicht"
wie ein Weg aus der Bedrängnis,
wie ein strahlendes Gesicht.
Refr.: So ist Versöhnung, …

3. Wie ein Wort von toten Lippen,
wie ein Blick der Hoffnung weckt,
wie ein Licht auf steilen Klippen,
wie ein Erdteil neu entdeckt.
Wie der Frühling, wie der Morgen,
wie ein Lied, wie ein Gedicht,
wie das Leben, wie die Liebe,
wie Gott selbst, das wahre Licht.
Refr.: So ist Versöhnung, …

Mein Versöhnungsheft

Gebet:
Guter Gott,
manchmal drückt uns
unsere Schuld
wie ein schwerer Stein.
Bei dir können wir von
unserer Schuld frei werden.
Wir danken dir,
dass wir zu dir kommen
können trotz
unserer Schuld.
Amen.

Ablauf der Beichte

Auch ich trage manchmal Dinge mit mir herum,
die mich wie schwere Steine drücken.

Um den Stein	Um den Stein	Um den Stein
abzulegen, kann ich	abzulegen, kann ich	abzulegen, kann ich

Ich möchte manche Dinge besser machen.

Ich entdecke viel Gutes in meinem Leben.

Der Priester spricht mich im Namen Gottes von meiner Schuld frei.

Manche Dinge tun mir leid. Ich bereue sie.

Die Beichte

Während des Beichtgesprächs erzähle ich dem Priester, was ich in Zukunft in meinem Leben besser machen will.

Ich danke Gott für die Versöhnung.

Ich entdecke, dass in meinem Leben auch manches schlecht gewesen ist.

Ich denke über mein Leben nach.

Lösung:

- Die Beichte
- Ich denke über mein Leben nach.
- Ich entdecke viel Gutes in meinem Leben.
- Ich entdecke, dass in meinem Leben auch manches schlecht gewesen ist.
- Manche Dinge tun mir leid. Ich bereue sie.
- Ich möchte manche Dinge besser machen.
- Während des Beichtgesprächs erzähle ich dem Priester, was ich in Zukunft in meinem Leben besser machen will.
- Der Priester spricht mich im Namen Gottes von meiner Schuld frei.
- Ich danke Gott für die Versöhnung.